l'invitation gourmande

remerciements

Je voudrais remercier pour leur aide les personnes suivantes : Anne Wilson, Catie Ziller, Mark Smith, Mark Newman et toute l'équipe de Murdoch-Merehurst pour leur disponibilité et leur enthousiasme pour cet ouvrage ; Matt Handbury, directeur de société dynamique, pour m'avoir permis de réaliser ce livre ; Jackie Frank pour son engagement à la rédaction du *marie-claire* australien et son travail à mes côtés comme éditeur spécialisé ; Petrina pour sa recherche permanente de la perfection, pour ses illustrations magnifiques et pour ses éclats de rire à mes plaisanteries sur la fin improbable de ce travail – cha cha cha ; Michèle pour ses talents de maquettiste et pour son infinie patience ; Rowena pour avoir donné un style à mes propos, pour sa patience et pour m'avoir aidée à respecter les délais ce qui n'est pas une mince prouesse ; mon compagnon Billy qui a survécu à la réalisation de deux de mes livres, pour avoir supporté mes cris, mes crises de larmes sur son épaule et de manière générale mes sautes d'humeur durant ce travail ; Jody, une merveilleuse amie et collègue sans laquelle rien n'eut été possible et qui a toujours cru en moi ; Michaela pour avoir testé les recettes, pour les longues journées passées à cuisiner lors des prises de vue et pour avoir servi de modèle ; Con et Nadine, les photographes assistants, qui ont également servi de modèles, ont fait couler le café à flot et ont respecté le programme ; Paula qui n'a pas ménagé ses efforts afin de dénicher les objets introuvables que je lui demandais ; enfin, ma famille, pour son soutien et sa compréhension.

crédits

L'auteur souhaite remercier les personnes et organismes suivants qui ont aimablement fourni le matériel nécessaire à la réalisation de cet ouvrage : Anticos Fruitworld ; Demcos Seafood Providores ; Simon Johnson Purveyor of Quality Food ; Georges Department Store, The Conran Shop ; Country Road Homewares ; Country Road Women Clothing ; Breville Appliances ; Empire Homewares ; Orrefors Kosta Boda ; Hamish Clark Antiques ; E.P. Manchester ; Dinosaur Designs ; Camargue ; Orson & Blake Homewares ; The Bay Tree ; Tea Two ; Ventura Designs pour Alessi ; Grinders Coffee ; Pam Harvey (la mère de Grant) qui a tricoté le cache-théière ; Ellie Ellis qui m'a autorisée à utiliser ses ustensiles de cuisine familiaux comme s'ils m'appartenaient ; Rachel Blackmore qui a joliment tapissé les paniers ; Peter Tinslay pour ses beaux livres anciens ; Chris pour ses marmites à vapeur de bambou venues de Hong-Kong.

Recettes et stylisme : Donna Hay
Photographe : Petrina Tinslay
Design : Michèle Lichtenberger
Direction éditoriale : Rowena Lennox

Titre original : *New Entertaining*

Könemann Verlagsgesellschaft mbH
Bonner Straße 126, D-50968 Cologne

Traduction de l'anglais : Marie-Claire Seewald, Toulouse
Réalisation : Studio Pastre, Toulouse
Lecture : Nathalie Hajdu
Correction : Roxanne Camporeale
Chef de fabrication : Detlev Schaper
Impression et reliure : Sing Cheong Printing Co. Ltd, Hong Kong
Imprimé en Chine

ISBN : 3-8290-1646-8
10 9 8 7 6 5 4 3 2 1

l'invitation gourmande

donna hay

photographies
petrina tinslay

sommaire

introduction

Recevoir, c'est savoir partager le pain et le vin,
mais c'est aussi échanger des idées, voire quelques
éclats de rire avec ses amis. Les meilleurs souvenirs
renaissent souvent autour d'une table chargée
de bonnes choses à manger et à boire.
Les recettes de *L'invitation gourmande* apportent
des solutions pour les dîners qui sortent un peu
de l'ordinaire comme pour les repas les plus formels.
Vous apprendrez comment composer un menu et
sélectionner les meilleurs vins, mais aussi les petites
astuces qui vous serviront chaque jour. Ce livre est
à la fois une source d'inspiration et une mine
d'idées ; vous y trouverez également quelques
suggestions rafraîchissantes…
À la fin de chaque chapitre, quelques menus vous
sont proposés, mais cela ne doit en aucun cas vous
empêcher de laisser libre cours à votre imagination.
Les noms d'ingrédients ou les termes culinaires
suivis d'un astérisque (*) sont développés dans un
glossaire en fin d'ouvrage. Dans le même glossaire,
vous trouverez certaines recettes de base,
également signalées dans le texte par un astérisque.

menus

Composer un menu est relativement facile. Si vous respectez quelques
règles simples, vous n'aurez aucun mal à sélectionner des aliments
qui se marient bien entre eux pour élaborer un dîner harmonieux.
La première règle est d'éviter à tout prix les redondances en ce qui
concerne les saveurs, les sauces et les ingrédients.
Pour prendre un exemple, si vous servez en entrée une salade de
poulet thaïlandaise, ne la faites pas suivre de blancs de poulet grillés
aux épices. De même, évitez d'utiliser le même mode de cuisson pour
plusieurs plats d'un même repas. Ainsi, les fritures sont généralement
appréciées, mais deux fritures à la suite risquent d'être trop lourdes.

composer un menu

Vos menus doivent être cohérents. Si vous servez un repas indien relevé
de piment, de citron vert et d'aromates venues d'Asie, un dessert au
chocolat semblera incongru. Proposez plutôt un sorbet pomme-citron vert
ou des mangues grillées, par exemple.

Autre règle, pour commencer, servez toujours les mets les plus légers.
Cela ne signifie nullement qu'ils doivent être tristes, mais ils ne seront
ni lourds, ni trop complexes. Une entrée trop copieuse et sophistiquée
risque de peser sur l'estomac, surtout si elle est suivie d'un plat de
même type. Proposez plutôt un mets simple et savoureux, puis un plat
de résistance plus élaboré. Un repas se construit ; les saveurs doivent aller
crescendo de l'entrée au dessert. Toutefois, si vous avez pour un soir
à votre table ce que l'on a coutume d'appeler de « bonnes fourchettes »,
passez outre cette règle.

Le choix des aliments et la manière dont vous les présentez sont
étroitement liés au style de dîner que vous souhaitez offrir. Par exemple,
un repas asiatique composé de délicates bouchées partagées entre tous
les convives est généralement destiné à une réunion moins protocolaire
qu'un repas de 3 ou 4 plats. Pour favoriser la détente, une table où
chacun se sert soi-même est idéale. Vous pouvez ainsi disposer plateaux
et coupes où vos invités choisiront à leur guise et selon leur appétit
ce qui les tente le plus.

un bon service

Quelques règles concernant le service peuvent vous aider à réussir vos dîners.

Pour que les aliments n'arrivent pas froids sur la table, chauffez les assiettes. À l'inverse, si vous servez des glaces en été, ayez la bonne idée de passer vos assiettes ou vos coupes au réfrigérateur.

N'oubliez pas de changer les verres lorsque vous passez à un autre vin. Ce qui reste au fond d'un verre peut en effet gâcher irrémédiablement le goût du nouveau cru.

Pour les dîners un peu collet monté, si vous avez en tête un plan de table bien défini, disposez des cartons sur la table plutôt que de jouer les placeuses avec vos convives.

Offrez un verre et quelque chose à grignoter à vos invités dès leur arrivée. Cela les aidera à se détendre et à sentir à l'aise.

Quels que soient les vins que vous servez, prévoyez toujours des verres à eau et posez sur la table une carafe d'eau fraîche.

Si vous offrez des coquillages, posez des bols sur la table pour y déposer les déchets ; prévoyez des rince-doigts et des serviettes chaudes afin que vos invités puissent se laver les mains.

question d'organisation

Les aliments qui se gardent peuvent être achetés le jour précédant le grand soir ; en revanche, les légumes, la viande et les produits de la mer seront achetés le jour même.

Lorsque vous élaborez votre menu, optez pour certains plats que vous pouvez préparer à l'avance. Un dessert, une partie de l'entrée ou le plat principal prêts à servir vous assureront un repas sans heurts... et vous ne passerez pas votre soirée le nez dans vos casseroles.

N'oubliez pas de mettre les vins blancs, l'eau et autres boissons au réfrigérateur suffisamment à l'avance.

Dressez la table avec les sets, l'argenterie, les serviettes, les verres, les couverts de service, le sel et le poivre, les condiments, bref, tout ce qui est nécessaire, avant l'arrivée de vos invités. Disposez les couverts à côté des assiettes dans l'ordre où ils seront appelés à servir. Les assiettes à pain seront placées à gauche, le verre à vin devant l'assiette, sur la droite.

... et gardez le temps de prendre une douche et de vous habiller avant le premier coup de sonnette !

les vins

choisir le vin

L'alliance des vins et des mets est, avec le choix du menu, le gage de la réussite d'un repas. Il est bon de savoir que la typicité d'un vin est déterminée par le principal cépage qui le compose. Considérez les conseils qui suivent comme des suggestions et décidez des vins que vous offrirez en même temps que vous élaborez votre menu. Servez-les avant les aliments, pour que vos invités puissent les apprécier, le palais vierge. Il n'existe pas de règles universelles quant au choix des vins. Testez différents crus, osez les mariages incongrus et rappelez-vous : si une bouteille de sauvignon blanc vous a déçue, il y a probablement chez votre caviste 20 autres sortes de sauvignon blanc qui n'ont pas exactement le même goût. Le choix d'un vin est une affaire personnelle — prenez des risques !

les cépages blancs

SÉMILLON (exemples : sauternes, côtes-de-Duras)

Ce cépage de la Gironde présente différentes couleurs en fonction du moment où la grappe a été cueillie et de son âge. Quand les vendanges sont tardives, il donne un vin à l'arôme vert, citronné ; ce vin jeune laisse la bouche fraîche et se boit généralement 2 ans après la récolte. Il est souvent mélangé au sauvignon blanc. Les grappes cueillies plus tôt, alors que le raisin est encore un peu vert, donnent un vin au goût un peu fade ; cependant, il prend en vieillissant une odeur de miel et de vanille et un délicat goût de noisette. Accompagne le poisson, les volailles, le porc, le lapin, les légumes et salades.

SAUVIGNON BLANC (exemples : vins de Tourraine, sancerre)

Il est à l'origine d'un vin sec et râpeux, de couleur jaune pâle. Son bouquet va de l'odeur de l'herbe fraîchement coupée à celle de l'asperge et des fruits tropicaux. Un bon sauvignon donne une saveur fraîche qui éveille les papilles. Accompagne les salades, les légumes, les plats asiatiques (cuisines thaïlandaise, vietnamienne, chinoise et malaise) et le saumon fumé.

CHARDONNAY
(exemples : chablis, Blancs de blancs)

Il donne un vin qui a du corps, au goût fruité de melon et de pêche quand il est jeune, qui prend des accents de miel en vieillissant. Le chardonnay vieillit souvent en fûts de bois ou de chêne. Cela a parfois pour effet de lui donner une couleur ambrée, qui peut rebuter les consommateurs. Accompagne les salades, les légumes, les viandes blanches et les fruits de mer.

RIESLING (exemples : riesling, vins d'Alsace)

Il donne un vin racé et clair, au goût citronné et légèrement acide, qui laisse dans la bouche un goût frais et fruité. Issu de vendanges précoces, il donne un vin blanc sec à la robe tirant sur le vert et un parfum fleuri. Si la vendange est tardive, lorsque la vigne est atteinte de pourriture noble, le riesling constitue un excellent vin doux pour les desserts. Accompagne les fruits de mer, certains plats asiatiques, les mets épicés et les salades.

CHENIN BLANC (exemples : vins d'Anjou, Vouvray)

Avec son goût légèrement citronné, le vin simple qui en est issu est à la fois sec au palais, ample et doux. C'est un vin d'aujourd'hui, qui arrose parfaitement un repas de fruits de mer. Accompagne idéalement les poissons grillés ou en sauce et les plats modérément épicés.

VERDELHO

Il produit un vin qui glisse merveilleusement dans la gorge, avec un goût fruité légèrement citronné et un bon corps. On le trouve surtout en Espagne. Accompagne les pâtes, les plats en sauce acidulée, le poisson et les fritures.

CHAMPAGNES ET MOUSSEUX

Comment ne pas évoquer ces crus pétillants qui rafraîchissent la bouche et mettent les papilles en éveil au début d'un repas ? Beaucoup d'entre eux se boivent très jeunes, mais certains vins millésimés doivent vieillir pour que leur goût se développe. Accompagnent les apéritifs, les fruits de mer et toutes les fêtes.

les verres

Ne servez pas le vin dans n'importe quel verre ! Un verre à vin fait vraiment la différence quand il s'agit d'un cru de qualité. Sa forme bombée retient tous les arômes qui se trouvent concentrés et favorisent la diffusion vers le nez du dégustateur.

l'art de goûter le vin

Commencez par verser une petite quantité de vin dans votre verre. Sa couleur vous apprendra certaines choses à son sujet ; par exemple, une légère teinte verdâtre dans un sauvignon vous dira qu'il s'agit d'un vin jeune, dont le goût sera probablement légèrement fruité. Un bon vin est limpide et de couleur franche. Ensuite, faites tourner le vin dans le verre et portez-le à votre nez, comme si vous choisissiez un parfum. Apprenez à reconnaître les différents arômes ; ainsi, l'odeur fraîche et citronnée d'un sauvignon nouveau contrastera avec la senteur épicée d'un bon syrah.

Vous pouvez maintenant prendre une petite gorgée de vin que vous garderez en bouche pour qu'il imprègne bien toutes vos papilles. Avant d'avaler, inspirez légèrement pour diffuser les arômes dans toute votre bouche jusqu'à l'arrière de votre gorge. Vous faites plus que tester le goût du vin, vous appréciez aussi les sensations tactiles qu'il éveille sur vos muqueuses, telles la douceur un peu sirupeuse d'un vin sucré réservé aux desserts ou le velours d'un pinot noir. Après ce dur labeur préliminaire, vous avez bien gagné le droit d'avaler !

les cépages rouges

PINOT NOIR (exemples : vins de Bourgogne, côtes-de-Beaune)
Il donne un vin rouge clair et gouleyant dont les arômes vont de la douceur acide des petits fruits rouges à une certaine astringence. Vin très parfumé, doux et frais aux papilles, il accompagne les poissons au goût franc comme le thon ou le saumon de l'Atlantique, le canard et le gibier à plumes, les pâtés et terrines, ainsi que les plats de pâtes.

CABERNET SAUVIGNON (exemples : médoc, Cabernet d'Anjou)
Avec son goût de fruits rouges vanillés et un léger parfum de chêne et de cèdre, le vin qu'il compose est souple et robuste. Il a du corps, il reste bien en bouche et se révèle riche en tanins. Accompagne les plats de bœuf, d'agneau et certains gibiers.

MERLOT (exemples : saint-émilion, pomerol)
Ce cépage est souvent mélangé au cabernet sauvignon ; il donne alors un vin sans tanins ni acidité, mais ample, au goût de fruits rouges confiturés. A 100 %, le merlot est très moelleux. Accompagne les viandes rouges et blanches, les spécialités italiennes et tous les fromages.

SYRAH (exemples : côtes-du-Rhône, Hermitage)
Elle produit un vin à la robe sombre, très parfumé, aux arômes épicés parfois légèrement poivrés, avec un léger accent fumé, voire réglissé, au goût généreux ; elle est moins chargée en tanins que le cabernet sauvignon, auquel elle se mélange harmonieusement. Ce vin accompagne le bœuf, le veau, les gibiers, les fromages bien faits et les aliments fumés.

GRENACHE (exemples : Tavel, corbières)
Souvent mélangé à la syrah, pour ses arômes épicés et sa saveur de fruits rouges et confits, il développe ainsi tout son parfum et a une grande richesse de goût. Accompagne les spécialités du Moyen-Orient, les plats riches en persil, les viandes épicées et le foie gras chaud.

à l'heure du café

1

repères

Le café est la graine d'un arbre à feuillage persistant qui pousse dans les zones subtropicales tout autour du globe. Le caféier produit des fleurs dont les boutons ressemblent à ceux du jasmin, puis de petites baies vertes. Celles-ci mûrissent en 6 à 9 mois, passant successivement du jaune au rouge, puis elles prennent une teinte foncée, presque noire. Elles sont cueillies à la main à différents stades de leur mûrissement. Chaque baie contient 2 graines vertes ; 4 000 de ces dernières sont nécessaires pour obtenir 500 g de café grillé.

extraire la graine

Après avoir été cueillies, les baies du caféier sont traitées pour éliminer la chair, afin que seules subsistent les graines de café. On fait ensuite sécher la baie avant de l'écosser ; un autre procédé consiste à la laisser tremper pour l'amollir. Les graines vertes sont alors extraites et triées à la main, puis expédiées dans le monde entier.

torréfaction

Les graines sont grillées pour en caraméliser les sucres et les hydrates de carbone, libérant ainsi une huile qui donne au café son odeur et son arôme. Légèrement torréfiée, la graine prend une couleur brune entre cannelle et chocolat ; elle est utilisée pour les expresso. En effet, moins il est grillé, plus le café est amer et fort. À l'inverse, les grains très noirs donnent un café plus léger, au goût moins prononcé.

mélanges

La qualité du café dépend de l'arbre et de la région dont les graines proviennent. Le plus équilibré, offrant le plus d'arôme, est obtenu par mélange. Des graines de même variété, issues de cultures différentes, sont parfois réunies pour fabriquer un café. La plupart des expresso contiennent ainsi entre 3 et 7 différentes graines, nécessaires pour obtenir un goût d'une grande complexité.

moutures

Percolateur : grossière
Cafetière électrique ou à piston : moyenne
Cafetière expresso ou à filtre : très fine

10 clés pour un bon café

• Utilisez des grains plutôt que du café moulu. Gardez-les dans un endroit frais, à l'écart des aliments trop odorants. Sauf si vous avez besoin de les stocker pour une longue période, évitez de les conserver au congélateur : cela dénature le goût du café.

• L'air et l'humidité sont des ennemis du café ; gardez-le dans une boîte hermétique.

• Le café est meilleur lorsqu'il est consommé 24 à 72 heures après sa torréfaction. Ses arômes diminuent de manière significative après 7 à 10 jours. Le café trop ancien prend un aspect huileux.

• Assurez-vous que la mouture correspond à l'usage auquel vous la réservez et à votre goût.

• Pour obtenir un excellent café, écrasez les grains juste avant de le consommer.

• Si vous achetez n'importe quel café, vous risquez fort de ne pas être satisfaite du résultat.

• Dosez bien les quantités — en principe, 2 cuil. à soupe par tasse conviennent.

• Faites en sorte que votre cafetière et tous ses éléments (filtre, piston, etc.) soient toujours parfaitement propres, sans marc ni dépôt gras.

• Ébouillantez vos tasses avant d'y verser le café chaud.

• Avant de servir, remuez la tasse pour bien diffuser les principes odorants et les arômes.

percolateur

grains de café

cafetière à piston

café moulu

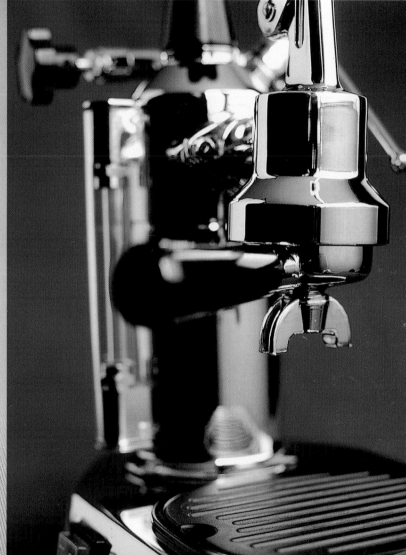

cafetière expresso

galettes à la mélasse et à la noix de coco

biscuits fourrés au chocolat

galettes à la mélasse et à la noix de coco

125 g de beurre en morceaux
1 tasse de sucre semoule
½ tasse de mélasse
1 ⅓ tasse de farine
1 tasse de noix de coco déshydratée
2 blancs d'œuf

Battez le beurre et le sucre au mixer pour obtenir un mélange crémeux. Ajoutez la mélasse dans le bol du mixer et mélangez à nouveau. Incorporez la farine, la noix de coco et les blancs d'œuf et réservez 10 minutes au réfrigérateur. Garnissez la plaque du four de papier sulfurisé. Déposez des petits tas de pâte de la valeur d'une cuil. à soupe sur la plaque et aplatissez chacun d'entre eux avec la lame d'un couteau pour former un cercle de 5 cm environ. (Les galettes vont s'étaler à la cuisson, laissez suffisamment d'espace entre elles.) Faites-les cuire les dans un four préchauffé à 180 °C pendant 8 à 10 minutes ; elles doivent être légèrement dorées. Laissez-les refroidir sur une grille métallique. Servez avec un caffè macchiato. (Pour 30 galettes.)

biscuits fourrés au chocolat

125 g de beurre
⅔ de tasse de sucre glace
¾ de tasse de farine de blé
¼ de tasse de farine de riz
⅓ de tasse de cacao en poudre
garniture
125 g de chocolat noir
¼ de tasse de crème liquide

Mettez le beurre et le sucre glace dans le bol d'un mixer ; battez pour obtenir une consistance crémeuse.
Ajoutez la farine et le cacao en poudre ; battez à nouveau pour obtenir une pâte molle.
Abaissez la pâte entre deux feuilles de papier sulfurisé jusqu'à une épaisseur de 2 mm. Découpez-la en disques de 6 mm de diamètre que vous déposerez sur la plaque du four garnie de papier sulfurisé.
Faites cuire les galettes dans un four préchauffé à 160 °C pendant 15 minutes : elles doivent être fermes au toucher. Laissez refroidir sur une grille métallique.
Chauffez à feu doux dans une casserole le chocolat et la crème fraîche, en remuant jusqu'à ce que le mélange soit lisse. Placez ce dernier au réfrigérateur pour qu'il prenne une consistance pâteuse.
Avant de servir, pressez une cuillerée de pâte au chocolat entre deux biscuits. (Pour 12 biscuits.)

muffins aux fruits de la Passion et aux myrtilles

papier sulfurisé et ficelle
1 ¾ tasse de farine complète, tamisée
1 ½ cuil. à café de levure de boulanger
1 tasse de sucre semoule
1 cuil. à café de cannelle en poudre
1 tasse de crème fraîche
60 g de beurre ramolli
2 cuil. à café de zeste de citron râpé
1 œuf
⅓ de tasse de pulpe de fruit de la Passion
1 tasse de myrtilles

Avec le papier sulfurisé, formez des cylindres de 8 cm de haut sur 6 cm de diamètre ; entourez-les d'un morceau de ficelle et nouez. Placez chaque cylindre dans un ramequin d'une capacité d'½ tasse que vous disposerez sur la plaque du four.
Mélangez la farine, la levure, le sucre et la cannelle en poudre. Dans un autre saladier, mélangez la crème fraîche, le beurre, le zeste de citron, l'œuf et la pulpe de fruit de la Passion.
Incorporez ce mélange à la farine et tournez pour bien amalgamer les ingrédients. Versez la pâte obtenue dans les cylindres de façon à les remplir aux trois quarts et parsemez de myrtilles. Préchauffez le four à 180 °C et laissez cuire pendant 34 à 40 minutes ; la pointe d'un couteau doit ressortir sèche de la pâte. Servez chaud avec un caffè latte, au petit déjeuner ou en guise d'en-cas matinal.
(Pour 8 muffins.)

granité d'expresso

3 tasses d'eau chaude
1 tasse de sucre en poudre
2 tasses de café très fort

Faites chauffer à feu doux l'eau, le sucre et le café en remuant jusqu'à dissolution du sucre. Portez à ébullition et laissez frémir 3 minutes.
Versez dans un moule métallique et placez 3 heures au freezer. Malaxez à la fourchette et remettez pour 3 heures au freezer. Servez en guise de petit déjeuner estival ou par les chaudes après-midi, juste pour le plaisir.
(Pour 6 personnes.)

muffins aux fruits de la Passion et aux myrtilles

petits gâteaux nappés au sirop de café

155 g de beurre
2/3 de tasse de sucre semoule
1 cuil. à café d'essence de vanille
1 œuf
1 1/2 tasse de farine avec levure incorporée
2 cuil. à soupe d'expresso
2 cuil. à soupe de lait
sirop de café
1 tasse d'expresso très fort
1/3 de tasse de sucre
1 à 2 cuil. à soupe de liqueur de café

Malaxez à la fourchette dans un saladier le beurre et le sucre pour obtenir un mélange crémeux. Ajoutez l'essence de vanille et l'œuf en battant bien. Incorporez la farine, les 2 cuillerées d'expresso et le lait.
Répartissez cette pâte dans des petits moules à gâteaux d'un diamètre de 8 cm ou dans des ramequins d'une capacité d'1/2 tasse environ. Mettez à cuire dans un four préchauffé à 180 °C pendant 20 minutes. La lame d'un couteau doit ressortir sèche de la pâte.
Sirop : faites chauffer à feu doux les 2 tasses d'expresso, la liqueur de café et le sucre en remuant pour dissoudre le sucre. Laissez frémir pendant 4 à 6 minutes. Retirez du feu quand le sirop s'épaissit. Pour servir, démoulez les gâteaux chauds sur les assiettes, arrosez de sirop et décorez de crème fraîche. (Pour 12 gâteaux.)

minicoupes expresso

4 cuil. à soupe de grains de café
3/4 de tasse de crème liquide
70 g de chocolat noir
3 cuil. à soupe de liqueur de café ou de chocolat

Faites chauffer la crème et les grains de café à feu doux, puis laissez frémir pendant 4 à 5 minutes. Laissez reposer 20 minutes. Passez pour éliminer les grains de café, remettez la crème dans la casserole, ajoutez le chocolat et chauffez en remuant pour que le mélange soit lisse. Incorporez la liqueur. Répartissez dans des verres à liqueur et mettez au freezer. Servez en guise de rafraîchissement les après-midi d'été ou offrez ces coupes dans la soirée, après le dîner. (Pour 6 personnes.)

flan à la portugaise

350 g de pâte feuilletée fraîche* ou congelée
garniture
1/3 de tasse de sucre
1/3 de tasse d'eau
2 tasses de lait
2 cuil. à soupe de Maïzena
2 jaunes d'œuf
1 cuil. à café d'essence de vanille

Abaissez la pâte en une couche de 3 mm sur une surface légèrement farinée. Découpez des disques de 10 cm de diamètre dont vous foncerez de petits moules creux, de façon que la pâte remonte sur les bords des moules. Garniture : faites chauffez à feu doux le sucre et l'eau jusqu'à dissolution du sucre. Laissez frémir 1 minute. Délayez la Maïzena dans un peu de lait. Battez au fouet le reste du lait, la Maïzena diluée, le sirop de sucre, les jaunes d'œuf et la vanille. Versez ce mélange dans une casserole et chauffez à feu doux en remuant pour que la crème épaississe. Laissez refroidir et couvrez d'un film plastique. Remplissez à la cuiller les moules garnis de pâte. Mettez à cuire dans un four préchauffé à 200 °C pendant 20 minutes ; la surface des flans doit être dorée et ferme. (Pour 8 flans.)

caffè latte frappé

500 ml de lait
1/3 de tasse d'expresso froid
6 glaçons

Mettez le lait au freezer pendant 3 heures. Quand il est pris, placez-le avec le café et la glace dans le bol d'un robot ménager et mixez jusqu'à ce que le mélange soit lisse. Versez dans des verres glacés et servez immédiatement. (Pour 2 personnes.)

délice au chocolat

6 cuil. à soupe de café grossièrement moulu
1 bâton de cannelle
100 g de chocolat noir
4 1/2 tasses de lait

Faites chauffer à feu doux dans une casserole le lait, le chocolat, le café moulu et la cannelle ; remuez jusqu'à ébullition. Passez le mélange dans une passoire fine et servez dans des coupes ou des verres chauds. Idéal pour les après-midi frais. (Pour 4 personnes.)

en haut : flan à la portugaise
en bas : brioches au chocolat

granité d'expresso   minicoupes expresso

caffè latte frappé

délice au chocolat

petits cakes aux nectarines

125 g de beurre ramolli
1 tasse de sucre
1 cuil. à café d'essence de vanille
2 œufs
1 ⅓ tasse de farine tamisée
1 ½ cuil. à café de levure déshydratée
1 tasse de crème fraîche
⅓ de tasse d'amandes émondées
3 à 4 nectarines coupées en tranches
1 cuil. à soupe de sucre roux

Placez le beurre, le sucre et l'essence de vanille dans le bol d'un mixer ; battez jusqu'à obtenir un mélange crémeux. Ajoutez les œufs un à un et battez à nouveau. Incorporez la farine, la levure, la crème fraîche et les amandes. Quand la pâte est homogène, transférez-la dans 8 petits moules à gâteaux beurrés, de 8 cm de diamètre. Décorez de tranches de nectarine et parsemez de sucre roux. Cuisez dans un four préchauffé à 180 °C pendant 20 à 25 minutes ; la pointe d'un couteau doit ressortir sèche de la pâte. Démoulez et servez les cakes chauds avec le café. (Pour 8 cakes.)

brioches au chocolat

2 tasses de farine
1 ½ cuil. à café de levure déshydratée
½ tasse de lait chaud
1 cuil. à café d'essence de vanille
3 cuil. à soupe de sucre
2 jaunes d'œuf
125 g de beurre ramolli
8 gros morceaux de chocolat de 15 g chacun environ

Mettez la farine et la levure dans le bol d'un robot ménager équipé d'un pétrin. Versez le lait, la vanille et le sucre dans un saladier et mélangez bien. Ajoutez le lait sucré et les œufs à la farine ; mixez à vitesse moyenne pour obtenir une boule de pâte. Continuez à battre en incorporant le beurre petit à petit.
Couvrez la pâte d'un linge et laissez lever environ 1 heure et demie à 2 heures ; elle doit doubler de volume. Pétrissez-la ensuite sur un plan de travail légèrement fariné pour la rendre élastique. Divisez-la en 8 parts que vous aplatirez légèrement de la paume de la main. Introduisez un morceau de chocolat au centre de chaque boule de pâte et refermez bien celle-ci. Répartissez dans des moules à dariole* ou à brioche, couvrez et laissez lever encore 1 heure. Mettez à cuire dans le four préchauffé à 180 °C pendant 15 à 20 minutes ; les brioches doivent être brun-doré. Servez chaud avec du café au lait bien fort.
(Pour 8 brioches.)

petit cake aux nectarines

panforte aux pêches et au chocolat

papier de riz
1 tasse de glucose liquide
3/4 de tasse de sucre
2 tasses d'amandes blanchies, grillées et grossièrement hachées
1 1/2 tasse de pêches séchées et coupées en petits morceaux
1 1/2 tasse de farine tamisée
1/3 de tasse de cacao en poudre
1 cuil. à café de cannelle en poudre
180 g de chocolat noir fondu

Garnissez d'une feuille de papier de riz le fond et les côtés d'un moule plat de 18 x 28 cm.
Chauffez à feu doux le glucose et le sucre en tournant jusqu'à complète dissolution. Portez ensuite à ébullition et laissez frémir 2 minutes pour épaissir le mélange.
Mettez dans un saladier les amandes, les pêches, la farine, le cacao et la cannelle. Ajoutez le sirop de sucre et le chocolat ; mélangez bien. Pressez soigneusement la pâte obtenue dans le moule et mettez à cuire dans le four préchauffé à 180 °C pendant 20 minutes ; le panforte doit être souple au toucher. Laissez refroidir dans le moule avant de couper et servez avec le café. (Pour 20 parts.)
À noter : le papier de riz est comestible ; c'est celui que l'on utilise pour le nougat.

biscuits fourrés au caramel

250 g de beurre
2/3 de tasse de sucre roux
2 tasses de farine
garniture
90 g de beurre
200 g de sucre roux
2 cuil. à soupe de mélasse
1/3 de tasse de crème fraîche épaisse

Mettez le beurre et le sucre dans le bol d'un mixer et battez pour que le mélange soit crémeux. Ajoutez la farine et mélangez à nouveau.
Déposez sur la plaque du four garnie d'une feuille de papier sulfurisé des petits tas de pâte de la valeur d'une cuiller à soupe. Mettez à cuire dans un four préchauffé à 160 °C pendant 15 minutes ; les biscuits doivent être dorés. Laissez refroidir sur une grille métallique.
Garniture : faites chauffer à feu doux le beurre, le sucre, la mélasse et la crème, en tournant jusqu'à ce que le mélange soit lisse. Laissez frémir 5 minutes pour épaissir légèrement le caramel.
Réservez le caramel au réfrigérateur pour le raffermir.
Étalez-le ensuite sur la moitié des biscuits, recouvrez avec les biscuits restants. Servez avec un café serré.
(Pour 30 biscuits.)

panforte aux pêches et au chocolat

biscuits fourrés au caramel

petits gâteaux nappés au sirop de café

autour du café

petit-déjeuner (pour 2)

muffins aux fruits de la Passion et aux myrtilles
granité d'expresso

PRÉPARATION

Pour que tout soit prêt au petit matin, roulez les cylindres de papier et mesurez tous les ingrédients la veille au soir ; mélangez la pâte et faites cuire les muffins dès votre réveil.

QUELLES BOISSONS PROPOSER ?

Un verre d'eau pétillante agrémentée d'un quartier de citron vert et de quelques feuilles de menthe vous aidera à vous réveiller. Le soir précédent, hachez quelques fruits et mettez-les au freezer pour la nuit. Le matin, passez-les au mixer avec un peu de jus de fruit pour obtenir un cocktail. En été, servez les granités d'expresso plutôt que du café chaud. Vous les mettrez la veille au freezer.

intermède café (pour 8)

petits cakes à la nectarine
biscuits fourrés au chocolat
délice au chocolat

PRÉPARATION

Cuisez les biscuits la veille et gardez-les dans une boîte hermétique. Garnissez-les de chocolat une demi-heure avant de les servir. Les petits cakes aux nectarines doivent être préparés le jour même. Si ce n'est pas la saison des nectarines, remplacez-les par des pommes vertes ou des poires.

QUELLES BOISSONS PROPOSER ?

Au milieu de la matinée, offrez des petites coupes de délice au chocolat, en doublant les proportions, ou du jus de raisin rouge et de l'eau minérale pétillante.
Pour une agréable conversation d'après-midi, pourquoi ne pas commencer par un vin blanc doux et pétillant avant le café ? Pour les plus courageux, offrez un petit verre de grappa ou un pastis à l'eau glacée ; cela favorise la concentration !

café du soir (pour 6)

panforte aux pêches et au chocolat
galettes à la mélasse et à la noix de coco
minicoupes expresso

PRÉPARATION

Confectionnez le panforte 2 jours à l'avance et gardez-le dans une boîte hermétique. Les galettes à la mélasse et à la noix de coco peuvent être préparées la veille. Rangez-les à l'abri de l'air dès qu'elles sont refroidies.

QUELLES BOISSONS PROPOSER ?

Offrez des minicoupes expresso (elles seront préparées à l'avance) ainsi qu'un Montbazillac, servi bien frais. Pour les plus audacieux, proposez une liqueur de rhum ou un tokay d'Alsace.

moka-partie (pour 12)

petits gâteaux nappés au sirop de café
biscuits fourrés au caramel
petits cakes aux nectarines
caffè latte frappé

PRÉPARATION

Organisez une moka-partie lorsque vous souhaitez réunir des amis, quand les circonstances ne se prêtent pas à un dîner. Les petits gâteaux nappés au sirop de café peuvent être préparés à l'avance et réchauffés au dernier moment avec leur sirop. Réduisez la taille des cakes aux nectarines ; le temps de cuisson sera plus court, et vos invités se serviront plus volontiers. Les biscuits fourrés au caramel seront cuits la veille et conservés dans une boîte hermétique ; garnissez-les de caramel 1 heure avant de servir.

QUELLES BOISSONS PROPOSER ?

En été, proposez du caffè latte frappé. Si vos invités sont nombreux, prévoyez une grande cafetière ou postez une personne à côté de la cafetière à expresso — quoi qu'il en soit, ne réchauffez jamais le café. Côté alcool, un riesling vendanges tardives ou un bon porto blanc accompagneront à merveille le café et les douceurs que vous offrez.

cuisine
asiatique

2

repères

les ustensiles

LES MARMITES À VAPEUR en bambou existent en différentes tailles. Achetez-en 2, munies d'un couvercle hermétique, que vous pourrez superposer au-dessus d'un wok, ou choisissez des petits modèles que vous poserez sur vos casseroles. Faites tremper votre marmite à vapeur pendant 2 heures dans l'eau froide avant de l'utiliser pour la première fois. Huilez le fond ou doublez-le de papier sulfurisé pour que les aliments n'attachent pas.

UNE ÉCUMOIRE à long manche vous servira à retirer les aliments du wok sans vous brûler et à les égoutter.

LES BAGUETTES sont indispensables pour déguster les délicieuses bouchées de la cuisine asiatique, les nouilles et les sushis. Elles servent aussi à mélanger les ingrédients ; posées en travers d'un wok, elles supportent la marmite à vapeur.

LES MAKISU sont de petits tapis de bambou tressés sur lesquels on roule les sushi et les nori.

le wok et ses accessoires

LES WOK existent en différentes versions. Choisissez un modèle en acier avec une base ronde. Avant de l'utiliser, lavez-le bien et « culottez-le » en y faisant chauffer à feu vif 2 cuillerées à soupe d'huile jusqu'à la faire fumer. À l'aide d'une brosse, répartissez l'huile sur les parois du wok et laissez refroidir ; répétez 3 fois cette opération. Graissez-le avant de le ranger pour qu'il ne rouille pas.

LA CUILLER À WOK, ou CHAN, est utile pour retourner les aliments en cours de cuisson ou les retirer du wok.

LA BROSSE à wok, faite de bambou rigide, sert à nettoyer facilement le wok, sans en rayer la surface. Quand vous l'avez lavé, séchez votre wok sur feu vif.

les sauces

LA SAUCE SOJA peut être claire ou noire, salée ou sucrée. Il en existe de nombreuses variétés. Pour ne pas avoir de mauvaises surprises, utilisez la sauce chinoise avec les plats chinois et la sauce japonaise avec les plats japonais. Avant de servir un plat à la sauce soja, goûtez-le ; s'il est trop salé, adoucissez-en la saveur avec un peu de sucre de palme.

LA SAUCE D'HUÎTRES est un condiment de texture visqueuse, à l'odeur d'huître et de poisson. Achetez une sauce de bonne qualité, qui contient du véritable extrait d'huître.

LE NUOC MAM est une sauce obtenue à partir de petits poissons salés et fermentés dans des fûts de bois. Si vous faites abstraction de l'odeur, vous ne pourrez plus vous en passer.

LE PONZU est une sauce japonaise à base de soja et de jus de citron. Elle sert de marinade aux poissons, fruits de mer, viandes et volailles. On y trempe également les aliments. On se la procure dans les épiceries asiatiques.

les légumes asiatiques

LE BOK CHOY, ou bette chinoise, possède des feuilles d'un vert vif et des tiges plus pâles, disposées en bouquet. Il existe aussi en version miniature.

LE CHOY SUM est un chou aux fines tiges croquantes, aux feuilles d'un vert vif et aux fleurs jaunes. Il est délicieux cuit à la vapeur ou sauté.

LES POIS GOURMANDS ont des cosses tendres et croquantes. Leur saveur ressemble à celle de nos petits pois mais leur goût est légèrement plus doux. On les mange en salade ou sautés.

LE GAI LARN, ou brocoli chinois, se reconnaît facilement à ses tiges qui ressemblent à celles du brocoli occidental. Il porte des fleurs blanches. Les tiges, les feuilles et les fleurs sont comestibles ; les feuilles ont un petit arrière-goût amer.

quelques condiments

LE SUCRE DE PALME est tiré de la sève d'une variété de palmier. En principe, plus sa couleur est sombre, meilleur il est. Prélevez-en de fines tranches à l'aide d'un couteau économe. Il atténue le goût du sel et sucre les desserts.

LE TAMARIN est tiré des gousses du tamarinier. La pulpe filandreuse et les graines doivent être trempées dans l'eau chaude et malaxées à la fourchette ou à la main pour en libérer l'arôme.

LE MIRIN est un vin de riz utilisé en cuisine. Procurez-vous du vinaigre de mirin, c'est un must dans les sushi*. Évitez celui qui est déjà épicé, il contient du glutamate de sodium.

LA PURÉE DE PIMENT est vendue sous différentes formes, y compris une pâte à l'huile de soja. C'est un mélange de piments, de nuoc mam, de pâte de crevettes, de tamarin et d'échalotes. On l'utilise pour cuisiner ou comme condiment.

LE VIN DE RIZ CHINOIS sert à cuisiner. Vous pouvez le remplacer par un xérès.

les herbes

LA MENTHE VIETNAMIENNE, avec ses longues feuilles pointues, possède un goût piquant légèrement amer, très rafraîchissant.

LES FEUILLES DE LIME ressemblent aux ailes d'un papillon. Elles ont un goût de citron caractéristique et un merveilleux parfum. Joignez-les entières à vos plats ou hachez-les finement.

LE BASILIC THAÏLANDAIS est plus doux que celui que nous connaissons. Il possède des tiges pourpres et souvent des feuilles aux veines violacées.

makisu

marmite à vapeur

wok, brosse et chan

écumoires

baguettes

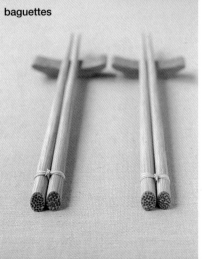

33

sauces

nuoc mam et sauce d'huîtres

sucre de palme

pulpe de tamarin et purée de piment

vin de riz chinois, vinaigre de riz et mirin

feuilles de lime

gai larn

choy sum

pousses de pois gourmands

bok choy

basilic thaïlandais

menthe vietnamienne

wontons de crevettes au piment

sashimi au vinaigre de riz

rouleaux de porc

épinards au sésame et au soja

sashimi au vinaigre de riz

250 g de sashimi de thon en tranches
250 g de sashimi de saumon en tranches
riz à sushi*
2 cuil. à soupe de vinaigre de riz japonais
marinade
3 cuil. à soupe de sauce soja
1 cuil. à soupe de jus de citron
2 cuil. à café de graines de sésame noires*
2 cuil. à soupe de mirin
1 cuil. à café de pâte de wasabi*
2 cuil. à soupe de flocons de bonite* (thon)

Marinade : mélangez la sauce soja, le jus de citron, les
graines de sésame, le mirin, la pâte de wasabi et les flocons
de bonite dans un saladier au revêtement antiadhésif*.
Réservez 2 heures, puis passez. Versez la marinade dans
un grand plat peu profond et posez dedans le thon et
le saumon, dont seule la base trempera. Laissez mariner
10 minutes. Répartissez le riz dans 4 bols et arrosez
de vinaigre. Décorez de morceaux de sashimi et présentez
la marinade comme une sauce, avec du gingembre mariné,
du wasabi et de la sauce soja. (Pour 6 personnes en entrée
et pour 4 en plat de résistance.)

wontons de crevettes
au piment

500 g de chair de crevettes crues, finement hachée
2 échalotes hachées
1 cuil. à soupe de galanga ou de gingembre haché
1 cuil. à soupe de feuilles de coriandre hachées
1 cuil. à soupe de purée de piment
2 cuil. à soupe de vin de riz chinois
1 cuil. à soupe de sauce soja
30 feuilles de pâte à wontons (rondes)
1 cuil. à soupe de Maïzena
2 cuil. à soupe d'eau
1 cuil. à soupe d'huile
1 tasse de bouillon de légumes* ou de poisson*

Mélangez les crevettes, les échalotes, le galanga, la coriandre,
la purée de piments, le vin et la sauce soja dans un saladier.
Déposez 1 cuillerée à soupe du mélange obtenu sur chaque
feuille de pâte à wontons. Enduisez les bords des wontons de
Maïzena diluée, repliez les bords et froncez-les en éventail en
pinçant la pâte pour enfermer la garniture.
Faites chauffer l'huile dans une poêle sur feu vif. Posez les
wontons sur leur base et laissez dorer. Versez le bouillon
dans la poêle et couvrez. Cuisez pendant 3 à 4 minutes,
puis retirez le couvercle et laissez réduire tout le bouillon.
Les fonds des wontons doivent être croustillants.
Servez chaud, avec de la purée de piment.
(Pour 30 wontons.)

rouleaux de porc

300 g de galettes de riz fraîches
garniture
400 g de porc émincé
1 piment rouge épépiné et haché
2 cuil. à café de gingembre finement râpé
1 gousse d'ail écrasée
2 cuil. à soupe de feuilles de coriandre hachées
2 cuil. à soupe de sauce soja
sauce
3 cuil. à soupe de sauce hoisin
2 cuil. à soupe de vin de riz chinois
2 cuil. à café de gingembre râpé

Faites tremper les galettes de riz dans l'eau chaude pour
les assouplir.
Garniture : mélangez le porc, le piment, le gingembre, l'ail,
la coriandre et la sauce soja dans un saladier.
Façonnez la valeur d'1/3 de tasse de farce en un long
cylindre que vous poserez au bord d'une galette de riz.
Roulez-la pour enfermer la farce.
Recommencez jusqu'à épuisement des ingrédients.
Posez vos rouleaux sur une assiette dans une marmite
à vapeur et cuisez au-dessus d'un récipient d'eau
bouillante pendant 5 à 6 minutes.
Sauce : chauffez la sauce hoisin, le vin et le gingembre
dans une casserole jusqu'à ce que le liquide frémisse.
Répartissez cette sauce dans des petits bols où les
convives tremperont les rouleaux de porc.
(Pour 4 personnes, ou 6 s'il s'agit d'une entrée.)

épinards au sésame
et au soja

500 g de feuilles d'épinard
condiment au sésame
1/3 de tasse de graines de sésame*
4 cuil. à soupe de sauce soja
1 cuil. à soupe de sucre
4 cuil. à soupe de mirin

Blanchir les épinards dans une grande casserole d'eau
bouillante pendant 10 à 15 secondes. Égouttez et passez
les feuilles sous l'eau froide.
Condiment au sésame : faites griller à sec les graines de
sésame dans une poêle pour qu'elles soient dorées.
Écrasez-les au mortier avec une cuillerée à soupe de sauce
soja pour obtenir une pâte lisse. Ajoutez le reste de sauce soja,
le sucre et le mirin ; mélangez. Versez la sauce dans une petite
casserole et amenez doucement à ébullition. Laissez frémir
2 minutes pour épaissir.
Disposez les épinards sur le plat de service et nappez
de condiment au sésame. Décorez de graines de sésame
et servez. (Pour 4 personnes, en entrée ou en garniture.)

canard au barbecue

tofu agedashi

poulet vapeur en salade

aubergines au miso rouge

41

canard au barbecue

1 canard au barbecue chinois*
400 g de galettes de riz
2 cuil. à café d'huile de sésame
1 cuil. à soupe d'huile
1 cuil. à soupe de gingembre râpé
10 échalotes coupées en 4
300 g de feuilles de bok choy miniature
½ tasse de bouillon de poulet*
2 cuil. à soupe de sauce soja
¼ de tasse de vin de riz chinois ou de xérès

Coupez le canard en petits morceaux et enlevez le plus
possible d'os. Découpez les galettes de riz en nouilles
très larges et passez-les sous l'eau chaude. Faites chauffer
les huiles dans une poêle, ajoutez le gingembre et les
échalotes et laissez cuire 1 minute.
Mettez le canard dans la poêle, faites sauter 1 minute,
puis incorporez le bok choy, les nouilles, le bouillon,
la sauce soja et le vin. Laissez cuire encore 3 à 4 minutes.
(Pour 4 personnes.)

tofu agedashi

500 g de tofu ferme, coupé en tranches
farine de riz pour poudrer
huile pour friture
1 feuille de nori* finement hachée
sauce
1 ½ tasse de dashi*
2 cuil. à soupe de sauce soja
3 cuil. à soupe de mirin
1 cuil. à café de sucre
8 petits shiitake* frais
1 oignon vert, finement haché

Sauce : faites chauffer à feu doux dans une casserole
le dashi, la sauce soja, le mirin, le sucre et les
champignons ; laissez frémir 3 minutes. Ajoutez l'oignon
vert. Passez le tofu dans la farine de riz et éliminez l'excès
de farine. Chauffez l'huile dans une poêle, à feu vif.
Faites dorer le tofu par petites quantités et égouttez-le
sur du papier absorbant.
Répartissez dans les bols de service et nappez de sauce.
Parsemez de nori émietté et servez immédiatement.
(Pour 4 personnes, ou 6 s'il s'agit d'une entrée.)

poulet vapeur en salade

2 citrons coupés en tranches
4 blancs de poulet
1 cuil. à café de poivre de Sichuan* grillé et pilé
salade
2 cuil. à soupe de menthe vietnamienne, hachée
½ tasse de feuilles de menthe
½ tasse de basilic thaïlandais
100 g de pois gourmands
2 oignons rouges finement hachés
2 piments rouges épépinés et hachés
3 cuil. à soupe de jus de citron
2 cuil. à soupe de nuoc mam
1 cuil. à soupe de sucre de palme ou de sucre brun
1 cuil. à soupe de sauce soja

Tapissez le fond d'une marmite à vapeur de tranches
de citron. Posez dessus le poulet et parsemez de poivre
de Sichuan. Couvrez, placez la marmite au-dessus
d'un récipient d'eau bouillante et laissez cuire entre 3 et
5 minutes. Laissez refroidir, puis effilochez la chair du poulet
en petits morceaux entre vos doigts.
Salade : mélangez les deux sortes de menthe, le basilic,
les pois, les oignons et les piments dans un grand saladier.
Dans un bol, fouettez ensemble le jus de citron, le nuoc
mam, le sucre et la sauce soja. Incorporez le poulet et la
sauce à la salade et servez. (Pour 4 personnes.)

aubergines au miso rouge

2 à 3 cuil. à soupe d'huile
2 aubergines coupées en rondelles
2 cuil. à café de gingembre finement râpé
2 cuil. à soupe de miso rouge*
2 cuil. à soupe de sauce soja
2 cuil. à soupe de mirin
1 ½ tasse de dashi*

Chauffez l'huile dans une poêle ou dans un wok
et faites dorer des deux côtés les rondelles d'aubergines,
par petites quantités. Égouttez et réservez.
Faites revenir le gingembre dans la poêle pendant 1 minute,
ajoutez le miso, la sauce soja, le mirin et le dashi ;
portez à ébullition. Mettez les aubergines dans la poêle
et laissez mijoter 4 minutes pour faire épaissir la sauce.
(Pour 4 personnes, en entrée ou en garniture.)

bœuf grillé aux nouilles soba

papillotes de morue

poulet frit au tamarin

bœuf grillé
aux nouilles soba

nouilles et bouillon

300 g de nouilles soba* parfumées au thé vert

1 tasse d'eau

2 cuil. à soupe de sauce soja

3 cuil. à soupe de mirin

1 cuil. à soupe de sucre

1 cuil. à soupe de flocons de bonite*

3 échalotes hachées

bœuf

3 cuil. à soupe de sauce soja

1 cuil. à soupe de jus de citron

1 cuil. à soupe de mirin

2 cuil. à café d'huile de sésame

500 g de filet de bœuf

Plongez les nouilles dans une grande quantité d'eau
bouillante et mélangez. Laissez l'eau bouillir à nouveau,
et ajoutez une tasse d'eau froide. Recommencez 3 fois,
puis égouttez les nouilles et rincez-les sous l'eau froide.
Bouillon : dans une poêle, portez à ébullition l'eau, le mirin,
la sauce soja et le sucre. Ajoutez les flocons de bonite
et retirez la poêle du feu. Réservez 5 minutes, puis passez
le bouillon à travers un tamis.
Mélangez la sauce soja, le jus de citron, le mirin et l'huile
de sésame et versez le liquide obtenu sur le bœuf.
Laissez mariner 20 minutes.
Versez le bouillon sur les nouilles et les échalotes et
répartissez sur les assiettes de service. Saisissez la viande
sur le gril chaud ou à la poêle, 1 minute de chaque côté.
Émincez finement le filet, disposez la viande sur les nouilles
et servez. (Pour 4 personnes.)

poulet frit au tamarin

50 g de pulpe de tamarin

1 tasse d'eau bouillante

4 blancs de poulet sur l'os (850 g)

3 cuil. à soupe de sauce soja

1 cuil. à soupe d'huile de sésame

farine de riz pour poudrer

2 cuil. à soupe d'huile végétale

8 échalotes coupées en deux

1 cuil. à soupe de gingembre râpé

1 tasse de bouillon de poulet*

2 cuil. à soupe de sauce d'huîtres

1 cuil. à soupe de sucre de palme

Mettez la pulpe de tamarin dans un bol et couvrez d'eau
bouillante. Mélangez bien à la fourchette pour libérer
l'arôme ; laissez reposer 5 minutes puis passez au tamis.
Coupez le poulet en morceaux et faites-le mariner
30 minutes dans un mélange de sauce soja et d'huile
de sésame. Réservez la marinade.
Passez les morceaux de poulet dans la farine de riz,
puis éliminez l'excès de farine. Chauffez l'huile végétale
dans une poêle ou dans un wok sur feu vif. Faites frire
le poulet par petites quantités. Réservez.
Faites chauffer la marinade, les échalotes et le gingembre
pendant 1 minute. Ajoutez le bouillon, le tamarin, la sauce
d'huîtres et le sucre. Portez à ébullition et laissez frémir pour
que la sauce réduise de moitié. Remettez le poulet dans
la sauce et laissez mijoter 4 à 5 minutes. Servez dans
des bols avec des petits pains chinois cuits à la vapeur
et des légumes vapeur. (Pour 4 personnes.)
À noter : On trouve des petits pains chinois prêts à cuire
au rayon frais des épiceries asiatiques.

papillotes de morue

800 g de filet de morue
2 piments verts hachés
1 cuil. à soupe d'huile de sésame
4 cuil. à soupe de coriandre hachée
2 cuil. à soupe de basilic thaïlandais
1 cuil. à café de graines de cumin
12 grands cercles de papier de riz*
huile pour friture
graines de sésame noires*

Lavez la morue, séchez-la sur du papier absorbant et coupez-la
en 12 morceaux. Mettez les piments, l'huile de sésame,
la coriandre, le basilic et les graines de cumin dans un moulin à
épices ou dans un mortier et réduisez-les en une pâte grossière
que vous répartirez sur les morceaux de poisson. Passez les
feuilles de papier de riz à l'eau chaude et laissez reposer pour
qu'elles s'amollissent. Posez un morceau de poisson sur
chaque feuille, reliez les côtés, puis roulez pour fermer.
Faites chauffer un peu d'huile dans une poêle, à feu moyen.
Mettez à cuire les morceaux de poisson, 2 à 3 minutes de
chaque côté. Le papier de riz doit être doré et croustillant.
Égouttez sur du papier absorbant, parsemez de graines
de sésame et servez avec des légumes vapeur assaisonnés
à la sauce d'huîtres et du riz au jasmin. (Pour 4 personnes.)

timbales à la noix de coco

4 œufs
½ tasse de sucre blanc
¼ de tasse de sucre de palme râpé
1 cuil. à soupe d'eau bouillante
1 ¼ tasse de farine avec levure incorporée
3 cuil. à soupe de noix de coco déshydratée

Mettez les œufs et le sucre blanc dans le bol d'un mixer.
Faites dissoudre le sucre de palme dans l'eau, et ajoutez-le
dans le bol. Battez à grande vitesse pendant 8 à 10 minutes ;
le mélange doit être épais et clair. Incorporez-le délicatement
à la farine et à la noix de coco. Répartissez la pâte dans
6 tasses à thé chinoises ou 6 petits bols. Mettez ces derniers
dans une marmite à vapeur au-dessus d'un wok d'eau
bouillante. Couvrez et laissez cuire 15 minutes.
Servez avec du thé chinois. (Pour 6 personnes.)

riz gluant aux mangues et au citron vert

1 tasse de riz gluant*
2 ½ tasses d'eau
½ tasse de crème de coco
3 cuil. à soupe de sucre
6 carrés de feuille de banane de 15 x 15 cm
garniture
1 mangue pelée et écrasée
1 cuil. à café de zeste de citron vert
2 cuil. à soupe de jus de citron vert
1 cuil. à soupe de sucre de palme râpé

Rincez le riz à l'eau froide ; égouttez. Mettez le riz et l'eau
dans une poêle, portez à ébullition et laissez frémir jusqu'à
ce que toute l'eau soit absorbée. Retirez du feu et ajoutez
la crème de coco. Laissez reposer 5 à 7 minutes,
puis ajoutez le sucre et réservez.
Plongez les feuilles de banane dans de l'eau bouillante
pendant 1 à 2 minutes pour les assouplir. Divisez le riz
en 6 parts. Posez la moitié de chacune d'entre elles sur
une feuille de banane, parsemez de mangue, de zeste et
de sucre de palme ; arrosez de jus de citron et couvrez
avec le reste du riz.
Roulez les feuilles et maintenez-les fermées avec des
cure-dents. Posez les rouleaux sur un barbecue chaud ou
sur la grille du four et cuisez 2 minutes de chaque côté.
Servez chaud ou froid. (Pour 6 personnes.)

flans au sucre de palme

3 tasses de lait
⅓ de tasse de sucre de palme
1 anis étoilé
1 bâton de cannelle
2 œufs

Faites chauffer à feu doux le lait, le sucre, l'anis étoilé
et la cannelle dans une casserole pendant 5 minutes.
Filtrez et versez dans un bol. Battez légèrement les œufs
et mélangez-les au lait.
Répartissez cette crème dans 6 à 8 tasses à thé chinoises.
Cuisez dans une marmite à vapeur au-dessus d'une eau
frémissante pendant 20 minutes. (Pour 6 à 8 personnes.)

timbales à la noix de coco

riz gluant aux mangues et au citron vert

flans au sucre de palme

menus asiatiques

déjeuner de *dim sum* (pour 6)

rouleaux de porc
wontons de crevettes au piment
papillotes de morue
canard au barbecue*
timbales à la noix de coco

PRÉPARATION

Servez en entrée les rouleaux de porc et les wontons aux crevettes et au piment accompagnés de petits bols de purée de piment. Ces deux *dim sum* (petites bouchées) peuvent être préparés à l'avance et cuits juste avant le repas. En plats de résistance, offrez les papillotes de morue également façonnées à l'avance et passées à la vapeur au dernier moment, ainsi que des petits bols de canard au barbecue et aux nouilles. Les timbales à la noix de coco seront cuisinées la veille et gardées au réfrigérateur.

QUELLES BOISSONS PROPOSER ?

Le choix le plus évident est sans doute du thé chinois parfumé au jasmin ou au chrysanthème. Si vous préférez le vin, optez pour un riesling pour accompagner le piment et autres épices.

banquet asiatique (pour 8)

épinards au sésame et au soja
aubergines au miso rouge*
poulet vapeur en salade
bœuf grillé aux nouilles soba*
flans au sucre de palme

PRÉPARATION

Commencez par des petites portions d'épinards au sésame et au soja, lesquels peuvent être préparés quelques heures à l'avance, ainsi que des aubergines au miso rouge. Sortez du réfrigérateur la salade de poulet que vous servirez avec le bœuf aux nouilles soba. Terminez par le flan que vous aurez cuit à la vapeur la veille et conservé au frais.

QUELQUES BOISSONS PROPOSER ?

Là encore, le thé de Chine semble s'imposer. Une bière glacée, un riesling ou un sauvignon blanc peuvent aussi convenir.

dîner japonais (pour 6)

tofu agedashi
épinards au sésame et au soja
sashimi marinés au vinaigre de riz
bœuf grillé aux nouilles soba*
riz gluant aux mangues et au citron vert

PRÉPARATION

Débutez par le tofu et les épinards qui auront été cuisinés quelques heures avant le repas. Poursuivez avec les sashimi et le bœuf aux nouilles soba (vous aurez préparé à l'avance la marinade des sashimi). Bien que le riz gluant aux mangues et au citron vert ne soit pas exactement une spécialité japonaise, vous pouvez garnir à l'avance vos feuilles de bananes et vous n'aurez plus qu'à le cuire à la vapeur. Si vous manquez de temps, comme dessert, servez une crème glacée au thé vert.

QUELLES BOISSONS PROPOSER ?

Le saké accompagne bien les plats japonais. Vérifiez sur la bouteille si celui que vous avez acheté se consomme chaud ou froid. Vous pouvez aussi servir du thé vert ou une bière japonaise.

autour d'un verre (pour 10)

épinards au sésame et au soja
tofu agedashi
wontons de crevettes au piment
papillotes de morue
poulet vapeur en salade

PRÉPARATION

Les épinards et le tofu peuvent être servis dans des bols à soupe chinoises en porcelaine. Ils se préparent tous deux à l'avance. Faites frire le tofu juste avant de servir. Présentez les wontons sur un plateau avec de petits bols de purée de piment. Prévoyez des minipapillotes de morue et servez la salade de poulet dans de petites feuilles de laitue.

QUELLES BOISSONS PROPOSER ?

Offrez des petites bouteilles de saké glacé ou des petites tasses de saké chaud. Reportez-vous au chapitre consacré aux cocktails pour les boissons (voir p. 101).

garden-party

3

repères

Les fruits, les légumes et les plantes aromatiques sont meilleurs lorsqu'ils sont récoltés et cuisinés en pleine saison. C'est alors qu'ils développent le maximum d'arôme et qu'ils sont, en principe, le moins onéreux. Avec le développement de nouvelles variétés de fruits et légumes et l'amélioration des transports, on trouve désormais toutes sortes de produits presque toute l'année. Le petit guide ci-dessous vous aidera à retrouver le rythme des saisons.

les intemporels

Grâce au progrès réalisés dans les méthodes de culture, beaucoup de fruits et légumes sont récoltés toute l'année. C'est le cas des betteraves, des poivrons, des aubergines et des patates douces.

été

De l'arôme entêtant du basilic à ceux de tous les délicieux fruits à noyau, l'été offre un festival de senteurs aux gourmets. Pour prolonger la belle saison, conservez les fruits dans un sirop léger ou préparez des confitures que vous savourerez pendant les mois froids. Régalez-vous : basilic, baies, maïs, concombres, figues, ail, laitues, petits pois, pommes de terre nouvelles, haricots, fruits à noyaux et courgettes poussent à profusion.

printemps

Saluez le printemps avec une profusion de délicats légumes verts. Faites-en juste blanchir les feuilles pour les présenter en salades fraîches et naturelles. Pensez aux légumes asiatiques, aux asperges, aux haricots et aux fèves, aux carottes, aux artichauts, aux petits pois, à la roquette et aux épinards.

automne

L'automne, saison des récoltes, est aussi celle où l'on se prépare pour l'hiver. Les plats de pâtes bien chauds et les risottos vous aideront à aborder la période froide. Champignons, gombos, olives, citrouilles et épinards sont excellents en automne.

hiver

C'est la saison des soupes, des plats longuement mijotés à base de racines et de toutes les variétés de choux. Parmi les dons de l'hiver, citons les oranges sanguines, les brocolis, les choux de Bruxelles, les choux verts, les choux-fleurs, le céleri, le fenouil, les artichauts, les poireaux, les panais, les kakis et les coings.

légumes de toutes saisons

hiver

printemps

automne

été

53

boulettes de fromage de brebis

salade de fenouil et de champignons

betteraves marinées

coquilles Saint-Jacques à la menthe et au citron

boulettes de fromage de brebis

1 kg de yaourt au lait de brebis
1 cuil. à soupe de sel de mer
2 cuil. à café de poivre noir du moulin
2 cuil. à soupe de thym citronné
1 piment rouge épépiné et haché

Mélangez le yaourt, le sel, le poivre, le thym et le piment et versez dans une jatte tapissée d'une double couche de mousseline à fromage. Joignez les lisières de cette dernière et suspendez-la à un rayonnage du réfrigérateur au dessus d'un saladier pour recueillir le petit-lait, pendant 24 à 48 heures. Quand le yaourt est ferme, ôtez la mousseline et façonnez des boulettes. Posez celles-ci sur une grille et laissez prendre 3 à 4 heures au réfrigérateur. Servez sur du pain grillé. Ces fromages se gardent 3 jours ou peuvent se conserver entiers dans un bocal stérilisé, rempli d'huile d'olive et placé au réfrigérateur. (Pour 10 boulettes.)

salade de fenouil et de champignons

4 gros champignons de Paris
2 cuil. à soupe de beurre fondu
1 cuil. à soupe d'huile
150 g de petites feuilles d'épinards
1 cuil. à soupe de feuilles de sauge
1 cuil. à soupe de zeste de citron râpé
2 petits bulbes de fenouil, en tranches fines
½ tasse d'olives vertes en saumure
poivre noir du moulin
2 cuil. à soupe de vinaigre balsamique

Essuyez bien les champignons et coupez l'extrémité des queues. Enduisez-les d'un mélange de beurre et d'huile et posez-les sur un gril chaud. Cuisez 2 minutes de chaque côté. Répartissez les feuilles d'épinards sur 4 assiettes. Agrémentez de feuilles de sauge, de zeste de citron et d'un champignon. Ajoutez des tranches de fenouil, quelques olives et du poivre. Arrosez de vinaigre balsamique et servez avec du pain au levain chaud. (Pour 4 personnes, en entrée.)

betteraves marinées

18 petites betteraves
2 tasses de vinaigre de vin blanc
1 tasse d'eau
½ tasse de sucre
1 cuil. à soupe de graines de coriandre
2 cuil. à soupe de zeste d'orange
2 cuil. à soupe de brins d'aneth

Plongez les betteraves dans une marmite d'eau bouillante. Laissez cuire 6 minutes pour les attendrir. Égouttez et pelez. Mettez le vinaigre, l'eau, le sucre, les graines de coriandre et le zeste d'orange dans une casserole à revêtement antiadhésif* et portez à ébullition. Retirez du feu et ajoutez les betteraves et l'aneth. Laissez refroidir, puis versez dans des bocaux stérilisés que vous placerez au réfrigérateur. Ces pickles sont excellents avec du pain et du fromage à pâte molle. (Pour 1 grand bocal.)

coquilles Saint-Jacques à la menthe et au citron

24 coquilles Saint-Jacques
poivre noir du moulin
huile d'olive
2 cuil. à café de zeste de citron
salade
2 tasses de feuilles de menthe
½ tasse de menthe vietnamienne
100 g de feuilles de roquette
¼ de tasse de jus de citron
1 piment rouge épépiné et haché
2 cuil. à café de gingembre râpé
1 cuil. à soupe d'huile végétale

Assaisonnez la chair des coquilles Saint-Jacques avec un peu de poivre, d'huile d'olive et le zeste de citron et réservez 5 minutes. Répartissez les deux sortes de menthe et la roquette sur les assiettes de service. Mélangez le jus de citron, le piment, le gingembre et l'huile. Faites frire les coquilles Saint-Jacques dans une poêle très chaude, 10 secondes de chaque côté. Disposez sur la salade et nappez de sauce. (Pour 4 à 6 personnes, en entrée.)

pickles d'oignons verts

24 petits oignons bruns ou verts
5 tasses de vinaigre de vin blanc
6 cuil. à soupe de sucre
1 cuil. à café de graines de cumin
8 brins d'aneth
4 brins de marjolaine
4 piments rouges épépinés et coupés en 2
1 cuil. à café de poivre noir en grains

Pelez les oignons, réservez. Mettez le vinaigre et le sucre
dans une casserole à revêtement antiadhésif* et portez
à ébullition. Quand le vinaigre bout, ajoutez les oignons,
les graines de cumin, l'aneth, la marjolaine, les piments
et le poivre. Laissez frémir 6 à 8 minutes. Versez dans un
bocal stérilisé* et fermez avec un couvercle non métallique.
Laissez mariner 2 jours avant de servir.
(Pour un grand bocal.)

endives grillées
à l'oseille et au parmesan

4 endives coupées en deux
sel de mer
1 tasse de jeunes feuilles d'oseille
¼ de tasse de persil plat
3 cuil. à soupe de jus de citron
1 cuil. à soupe de sucre
poivre noir du moulin
½ tasse de parmesan râpé

Plongez les endives dans une casserole d'eau bouillante
salée et laissez frémir 4 minutes. Égouttez.
Intercalez les feuilles d'oseille et le persil entre les feuilles
d'endives. Posez les endives sur la grille du four, arrosez-les
de jus de citron et parsemez de sucre, de poivre et
de parmesan. Glissez la grille sous le gril chaud pendant
4 à 6 minutes pour faire dorer les endives.
Servez avec du saumon fumé et une salade verte.
(Pour 4 personnes.)

asperges au beurre noisette

750 g d'asperges grattées, coupées en 2
90 g de beurre
poivre noir du moulin
2 cuil. à soupe de feuilles de sauge
2 cuil. à soupe de feuilles d'origan
2 cuil. à soupe de feuilles de marjolaine
1 cuil. à soupe de jus de citron
purée de piment
parmesan en copeaux

Plongez les asperges dans une marmite d'eau bouillante
salée et laissez frémir jusqu'à ce qu'elles soient tendres.
Égouttez.
Mettez le beurre, le poivre, la sauge, l'origan et la marjolaine
dans une poêle et chauffez à feu moyen pendant
4 à 6 minutes. Le beurre doit prendre une couleur noisette.
Ajoutez le jus de citron hors du feu.
Disposez les asperges sur un lit de purée de piment,
arrosez de beurre fondu et agrémentez de copeaux de
parmesan. (Pour 4 personnes, ou 6 s'il s'agit d'une entrée.)

chutney à la poire,
au gingembre et au piment

1 kg de poires pelées, épépinées et coupées en morceaux
¼ de tasse de gingembre râpé
6 piments rouges, épépinés et hachés
2 oignons finement hachés
3 cuil. à soupe de coriandre ciselée
2 feuilles de lime*
2 ½ tasses de vinaigre de cidre
1 tasse de sucre brun
1 tasse de sucre blanc
poivre noir du moulin et sel de mer

Mettez les poires, le gingembre, les piments, les oignons,
la coriandre, les feuilles de lime, le vinaigre et les 2 sortes
de sucre dans une casserole au revêtement antiadhésif*.
Portez à ébullition, puis réduisez le feu et laissez frémir
pendant 30 minutes en remuant de temps en temps pour
faire épaissir le chutney. Goûtez, puis ajoutez sel et poivre.
Versez dans des bocaux stérilisés. Servez sur du pain ou
avec des viandes grillées ou rôties.
(Pour un grand bocal.)

pickles d'oignons verts

asperges au beurre noisette

endives grillées à l'oseille et au parmesan

chutney à la poire, au gingembre et au piment

soupe aux petits pois frais

tomates à l'italienne et toasts au basilic (à droite)

soupe aux petits pois frais

2 jarrets de porc fumés, coupés en 2
3 l d'eau
1 ½ tasse de vin blanc sec
12 petits oignons bruns
3 feuilles de laurier
1 cuil. à café de poivre en grains
2 tasses de petits pois frais
1 tasse de céleri-rave ou de panais râpé
1 cuil. à soupe de feuilles de menthe
1 cuil. à soupe de cerfeuil

Ôtez la couenne et toute la graisse visible des jarrets
de porc. Mettez-les dans une grande marmite avec l'eau,
le vin, les oignons, le laurier et le poivre. Portez à ébullition,
puis couvrez et laissez frémir pendant 1 heure. Filtrez le
bouillon dans une passoire fine. Rincez les oignons et
coupez-les en 2. Désossez la viande, hachez-la et mettez-la
dans une marmite propre avec les oignons.
Versez dessus le bouillon filtré et portez à ébullition.
Ajoutez les pois et le céleri ; laissez frémir 5 minutes.
Répartissez dans des bols et agrémentez de menthe et
de cerfeuil. Servez avec du pain grillé.
(Pour 4 personnes, ou 6 s'il s'agit d'une entrée.)

tomates à l'italienne et toasts au basilic

4 tomates mûres
300 g de mozzarella fumée, en tranches, ou 4 bocconcini
⅓ de tasse de parmesan en copeaux
½ tasse de feuilles de basilic
½ tasse de vinaigre balsamique
3 cuil. à soupe d'huile d'olive vierge
2 cuil. à café de sucre brun
sel de mer et poivre noir du moulin
mélange de salade verte
toasts au basilic
12 tranches de pain
huile d'olive

Coupez les tomates en tranches verticales, sans aller
jusqu'à la base. Intercalez dans les fentes la mozzarella,
le parmesan et les feuilles de basilic.
Mélangez le vinaigre balsamique, l'huile d'olive, le sucre,
le sel et le poivre et versez sur les tomates. Laissez reposer
au moins 20 minutes.
Toasts : enduisez les tranches de pain d'huile d'olive
et faites-les dorer au gril. Prenez une grosse poignée de
basilic et frottez-en une face des toasts encore chauds.
Disposez les tomates sur un lit de salade verte.
Servez avec les toasts chauds et du poivre concassé.
(Pour 4 personnes.)

tourte aux fruits d'été

350 g de pâte brisée*
lait
sucre roux cristallisé
garniture
2 pêches coupées en morceaux
200 g de framboises
3 prunes coupées en morceaux
200 g de myrtilles
1 cuil. à soupe de farine

Abaissez la pâte en une couche de 3 mm sur une surface
légèrement farinée. Foncez un moule à tarte de 23 cm
de diamètre en laissant dépasser tout autour un cercle
de 8 à 10 cm de pâte. Réservez au réfrigérateur.
Mélangez les fruits et la farine. Tassez ce mélange dans
le moule et repliez la pâte pour recouvrir partiellement
les fruits. Mettez 20 minutes au réfrigérateur pour raffermir
la pâte. Passez sur la surface un pinceau enduit de lait
et saupoudrez largement de sucre.
Faites cuire 20 minutes dans le four préchauffé à 200 °C.
Servez chaud ou froid avec de la crème fraîche.
(Pour 8 à 10 personnes.)
À noter : pour que la pâte soit ferme, diminuez de 30 g
la quantité de beurre et ajoutez de l'eau froide.

gâteau au citron

125 g de beurre
¾ de tasse de sucre en poudre
1 ½ cuil. à soupe de zeste de citron
2 œufs légèrement battus
1 ½ tasse de farine avec levure incorporée
½ tasse de crème fraîche
½ tasse le jus de citron

Mettez le beurre, le sucre et le zeste de citron dans le bol
d'un mixer et battez pour obtenir un mélange crémeux.
Ajoutez les œufs. Battez à nouveau, puis incorporez
la farine, la crème et le jus de citron.
Versez aussitôt dans un moule carré de 20 cm de côté,
bien graissé. Cuisez 40 minutes au four préchauffé
à 180 °C. La lame d'un couteau doit ressortir sèche
de la pâte.
Coupez en tranches et servez chaud avec de la Chantilly.
(Pour 8 à 10 personnes.)

gâteau au citron

tourte aux fruits d'été

menus fraîcheur

déjeuner dominical (pour 4)

betteraves marinées
coquilles Saint-Jacques à la menthe et au citron
tourte aux fruits d'été

PRÉPARATION
Cuisinez les betteraves 3 ou 4 jours à l'avance et servez-les avec du pain croustillant et du fromage à pâte dure. Préparez la salade dans la matinée ; grillez les coquilles Saint-Jacques juste avant de servir. Présentez la tourte avec une crème fraîche épaisse ; elle peut être cuite quelques heures à l'avance.

QUELLES BOISSONS PROPOSER ?
Servez avec les betteraves un Cassis blanc ou un bourgogne blanc. Le goût des coquilles Saint-Jacques se mariera bien à celui d'un Pouilly fumé. Servez la tourte avec le vin doux de votre choix ou proposez porto et café.

déjeuner surprise (pour 6)

betteraves marinées
boulettes de fromage de brebis
pickles d'oignons verts
endives grillées à l'oseille et au parmesan
coquilles Saint-Jacques à la menthe et au citron
gâteau au citron

PRÉPARATION
La plus grande partie de ce repas peut être préparée à l'avance. Disposez sur la table les betteraves marinées, le fromage de brebis, les pickles d'oignons, les endives et un plat de coquilles Saint-Jacques et laissez vos invités se servir à leur guise. Prévoyez suffisamment de pain et quelques autres variétés de fromage. Cuisinez le gâteau la veille et conservez-le à l'abri de l'air. Servez-le avec de la crème fraîche épaisse pour finir en beauté.

QUELLES BOISSONS PROPOSER ?
Avec les marinades, servez un Cassis blanc et un côte-de-Beaunes pour ceux qui préfèrent le vin rouge. Accompagnez le gâteau d'un alcool de fruit (pomme ou poire) et de café fort.

déjeuner léger (pour 8)

salade de fenouil et de champignons
asperges au beurre noisette

PRÉPARATION
Servez la salade avec du pain au levain. Présentez les asperges au beurre noisette sur leur lit de purée de piment. Offrez en guise de dessert des fruits frais en tranches, arrosés de jus de citron vert et adoucis au sucre de canne, ou avec un riesling.

QUELLES BOISSONS PROPOSER ?
Servez une eau pétillante parfumée au thym citronné avec des rondelles de citron vert ou un cocktail de fruits frais (voir pique-niques). Si vous préférez le vin, un muscat du Roussillon ou un Vouvray sec seront parfaits.

déjeuner formel (pour 10)

soupe aux pois frais
tomates à l'italienne et toasts au basilic
asperges au beurre noisette
tourte aux fruits d'été

PRÉPARATION
La soupe peut être cuite à l'avance et réchauffée à feu doux avant le repas. Servez en entrée les tomates à l'italienne, préparées plusieurs heures auparavant. Après les asperges, proposez la tourte aux fruits d'été accompagnée de crème glacée à la vanille. Vous aurez confectionné la pâte la veille et gardé celle-ci au réfrigérateur jusqu'au moment de l'étaler.

QUELLES BOISSONS PROPOSER ?
Un vin blanc pétillant, un riesling rafraîchissant ou un sauvignon blanc accompagneront la soupe aux pois frais. Servez un Côtes-de-Roussillon blanc avec les tomates. Poursuivez avec le même vin ou offrez un Vouvray avec les asperges. Achevez le repas avec un muscat doux, servi glacé, et du café.

grillades

4

repères

Il existe maintes manières de préparer les grillades :
sur le barbecue de votre jardin, dans une poêle sur votre
cuisinière ou sur un gril électrique. Ce mode de cuisson
peut parfaitement être utilisé dans la maison,
aussi ne réservez pas les grillades aux mois chauds.
Il suffit de bien aérer votre cuisine.

pinceau d'herbes

Plutôt qu'un pinceau
de cuisine, utilisez
un bouquet d'herbes
aromatiques pour
badigeonner vos
aliments d'huile avant
de les faire griller.
Pour réduire la quantité
de fumée (en particulier
à l'intérieur), évitez de
mettre de l'huile sur
le gril. Utilisez des
herbes robustes comme
le romarin, le thym,
citronné ou non, l'origan
ou la marjolaine.

barbecues

Il en existe différentes
sortes. Certains
possèdent un gril
associé à une pierre
à feu ; ils sont alimentés
avec un combustible
spécial ou du charbon.
Les copeaux de bois
sont parfaits pour fumer
les aliments à l'intérieur,
dans des barbecues
couverts. Certains sont
prévus pour griller
les grands poissons ;
les barbecues couverts
conviennent aux gros
rôtis. Ils permettent de
ne pas réchauffer la
cuisine en été.

les grils

Les grils électriques ou alimentés au
gaz constituent une bonne alternative
au barbecue classique. Lorsque vous
les utilisez à l'intérieur, ouvrez la fenêtre
ou faites fonctionner la hotte aspirante.

les pincettes

Si vous faites souvent griller des
aliments, procurez-vous des pincettes
pour retourner les saucisses, les steaks
et les poissons. Ne les laissez pas sur
une surface brûlante, elles prennent
facilement la chaleur.

les poêles

On les utilise à l'intérieur et elles
sont parfois plus pratiques
qu'un barbecue. Il existe des
poêles très plates mais aussi
des modèles plus profonds
destinés aux fritures.
Les grandes poêles plates
couvrent souvent 2 brûleurs sur
la cuisinière, aussi choisissez
bien leur taille. Elles sont souvent
en fonte mais également en acier
(plus léger), et pourvues d'un
revêtement antiadhésif.

poêle grill

grill

pinceau d'herbes

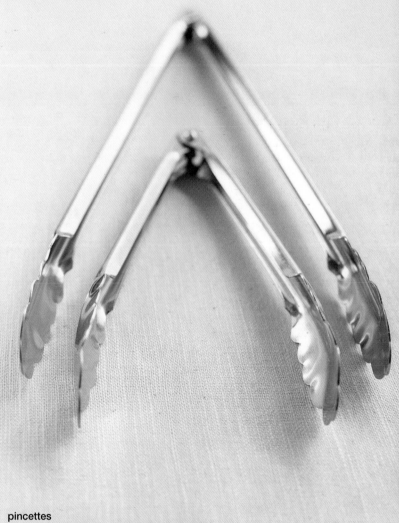

pincettes

barbecue

69

purée d'aubergines et de haricots blancs et pains grillés au sel et au romarin

espadon grillé aux feuilles de vigne

purée d'aubergines et de haricots blancs

2 aubergines
2 gousses d'ail non pelées
1 tasse de haricots blancs (cannellini), cuits
⅓ de tasse d'huile d'olive
1 cuil. à soupe de tahini*
¼ de cuil. à café de cumin moulu
¼ de tasse de jus de citron
2 cuil. à soupe de persil plat ciselé
1 cuil. à soupe de menthe ciselée
sel de mer et poivre

Faites cuire les aubergines et l'ail sur un gril chaud pendant 6 à 8 minutes, jusqu'à ce que les peaux soient noires et la chair tendre. Pelez les légumes ; mettez leur chair dans un mixer avec les haricots, l'huile, le tahini, le cumin et le jus de citron. Réduisez en purée. Servez sur du pain chaud grillé. (Pour 6 personnes, 8 s'il s'agit d'une entrée.)

salade d'aubergines à la menthe

2 aubergines en rondelles
2 petits bulbes de fenouil, coupés en tranches
2 courgettes en rondelles
huile d'olive
150 g de haloumi* coupé en tranches
½ tasse de menthe ciselée
3 cuil. à soupe de jus de citron
2 cuil. à soupe de persil plat ciselé
1 cuil. à soupe de miel
poivre noir du moulin

Badigeonnez d'huile d'olive les aubergines, le fenouil et les courgettes ; posez-les sur le gril chaud et faites cuire 1 à 2 minutes sur chaque face pour qu'ils soient tendres. Huilez légèrement les tranches de haloumi, et faites-les dorer sur le gril ou dans une poêle 1 minute de chaque côté. Disposez les légumes grillés et le haloumi sur les assiettes de service ; parsemez de menthe. Mélangez le jus de citron, le persil, le miel et le poivre et versez la sauce sur la salade.
(Pour 4 personnes, 6 s'il s'agit d'une entrée.)

espadon grillé aux feuilles de vigne

4 darnes d'espadon
2 cuil. à café de zeste de citron
1 gousse d'ail écrasée
2 cuil. à soupe de persil plat finement ciselé
2 cuil. à soupe d'huile d'olive
8 feuilles de vigne fraîches ou en saumure
huile d'olive vierge

Ôtez la peau de l'espadon, lavez-le et séchez-le. Mélangez le zeste de citron, l'ail, le persil et l'huile d'olive et imprégnez de cette sauce les deux faces du poisson. Mettez chaque darne entre 2 feuilles de vignes en repliant les bords pour qu'elles restent bien en place. Posez l'espadon sur une grille et badigeonnez d'huile les feuilles de vigne. Placez sous un gril chaud et faites cuire 2 à 3 minutes sur chaque face. Servez avec une salade d'épinards et des quartiers de citron. (Pour 4 personnes.)

pains grillés au sel et au romarin

1 cuil. à café de levure de boulanger
2 ½ tasses d'eau chaude
3 ½ tasses de farine complète
2 cuil. à café de sel de mer
1 cuil. à soupe d'huile d'olive
2 ½ à 3 tasses de farine
assaisonnement
huile d'olive
sel de mer
feuilles de romarin

Faites dissoudre la levure dans l'eau. Mettez la farine complète dans le bol d'un mixer équipé d'un pétrin. (Vous pouvez également procéder à la main, dans un saladier, avec une cuiller en bois.) Ajoutez la levure diluée dans le bol et mixez pour bien mélanger. Couvrez d'une feuille de plastique et laissez lever* dans un endroit chaud pendant 1 heure. La pâte doit doubler de volume. Incorporez le sel et l'huile et mixez en ajoutant progressivement la farine jusqu'à obtenir une pâte molle. Pétrissez encore pendant 8 minutes. Couvrez à nouveau d'une feuille de plastique et laissez la pâte doubler de volume (2 heures environ). Partagez la pâte en 16 boules. Abaissez chacune d'entre elles sur une surface légèrement farinée jusqu'à une épaisseur de 4 mm. Huilez-en le dessus au pinceau ; parsemez de sel et de feuilles de romarin. Laissez reposer 10 minutes. Faites cuire vos pains sur le barbecue, 1 minute de chaque côté, jusqu'à ce qu'ils soient dorés et gonflés. (Pour 16 pains.)

salade d'aubergines à la menthe

saucisses de bœuf à la roquette

hamburgers à la tomate et au piment

calmars aux piments

73

saumon au citron vert

crevettes à la coriandre et bok choy au miel

hamburgers à la tomate et au piment

500 g de viande de bœuf hachée
2 cuil. à soupe de sauce Worcestershire
1 gousse d'ail écrasée
2 cuil. à soupe de moutarde de Dijon
2 cuil. à soupe de coriandre ciselée
1 oignon coupé en rondelles
2 tomates vertes en quartiers
2 piments verts, doux, coupés en morceaux
2 cuil. à soupe d'huile
feuilles de salade
4 pains ronds coupés en deux et grillés

Mélangez la viande hachée, la sauce Worcestershire, l'ail, la moutarde et la coriandre. Divisez ce hachis en 4 boules que vous aplatirez. Posez la viande et les rondelles d'oignon sur un gril chaud, avec les tomates et les piments badigeonnés d'huile. Laissez cuire 3 minutes de chaque côté. Les légumes doivent être brunis et la viande bien cuite. Posez une feuille de salade sur la moitié inférieure de chaque pain. Ajoutez dans l'ordre les oignons, la viande, les tomates et les piments. Fermez le hamburger et servez. (Pour 4 personnes.)

saucisses de bœuf à la roquette

750 g de chair à saucisse
250 g de viande de bœuf hachée
2 tasses de feuilles de roquette hachées
3 cuil. à soupe de moutarde à l'ancienne
1 gousse d'ail écrasée
2 cuil. à soupe de thym haché
poivre noir du moulin
boyau pour saucisses

Mélangez la chair à saucisse, la viande hachée, la roquette, la moutarde, l'ail, le thym et le poivre. Remplissez de ce hachis une poche à douille, équipée d'une longue canule. Enfilez le boyau sur la canule, en le plissant sur toute sa longueur. Pressez la poche à douille pour introduire le hachis dans le boyau qui va se déplier au fur et à mesure. Tordez-le à intervalles réguliers pour former les saucisses. Réservez au réfrigérateur pendant 4 heures ou toute une nuit.
Plongez les saucisses dans une casserole d'eau froide. Chauffez doucement. Quand l'eau commence à frémir, retirez la casserole du feu et égouttez les saucisses. Faites-les dorer sur un gril moyennement chaud. Servez avec un chutney relevé et des oignons grillés. (Pour 4 à 6 personnes.)

calamars aux piments

3 piments rouges épépinés, hachés menu
1 cuil. à soupe de gros sel
1 cuil. à café de poivre du moulin
12 petits calamars nettoyés, coupés en deux
2 cuil. à soupe d'huile
100 g de vermicelles de riz
3 cuil. à soupe de sauce soja
2 cuil. à soupe de jus de citron vert
3 cuil. à soupe de feuilles de coriandre
1 cuil. à soupe de sucre roux
2 cuil. à café de nuoc mam

Mélangez les piments, le sel et le poivre dans un saladier. Badigeonnez les calamars d'huile, puis passez-les dans le mélange aux piments pour imprégner leur chair. Réservez. Mettez les vermicelles de riz dans un saladier et couvrez d'eau bouillante. Laissez gonfler pendant 5 minutes, puis égouttez. Mélangez les vermicelles, la sauce soja, le jus de citron vert, la coriandre, le sucre et le nuoc mam. Répartissez dans les bols de service.
Cuisez les calamars entre 10 et 15 secondes de chaque côté sur un gril très chaud (ou à la poêle). Posez sur les vermicelles et servez. (Pour 4 personnes.)

saumon au citron vert

4 feuilles de lime* hachées
2 cuil. à soupe de jus de citron vert
2 cuil. à café de gingembre râpé
2 cuil. à café d'huile de sésame
2 cuil. à café d'huile pimentée
4 darnes de saumon de 200 g environ
4 citrons verts coupés en 2
salade verte

Mélangez les feuilles de lime, le jus de citron, le gingembre et les deux huiles. Versez sur le poisson. Laissez mariner 10 minutes, puis posez sur le gril chaud le saumon et les citrons verts, côté chair vers le bas. Grillez 1 minute de chaque côté, ou plus longtemps si vous aimez le poisson bien cuit. Servez avec une salade verte assaisonnée d'une sauce légère au citron. (Pour 4 personnes.)

steaks marinés au vinaigre balsamique

brochettes de poulet aux herbes

crevettes à la coriandre et bok choy au miel

750 g de grosses crevettes crues
1/4 de tasse de coriandre ciselée
2 cuil. à soupe de jus de citron vert
2 cuil. à café d'huile de sésame
1 piment vert, épépiné et haché
1 cuil. à soupe de menthe ciselée
bok choy au miel
400 g de bok choy miniature
3 cuil. à soupe de miel
3 cuil. à soupe de vin de riz chinois
1 cuil. à soupe de graines de sésame
3 cuil. à soupe de sauce d'huîtres

Décortiquez les crevettes, ôtez les têtes et les viscères
mais conservez les queues. Enfilez chaque crevette sur
une brochette. Mélangez la coriandre, le jus de citron vert,
l'huile de sésame, le piment et la menthe. Versez sur les
crevettes et laissez mariner 10 minutes.
Plongez le bok choy dans une casserole d'eau bouillante
et laissez blanchir 30 secondes ; égouttez. Mettez dans
une poêle le miel, le vin, les graines de sésame et la sauce
d'huîtres. Faites chauffer sur feu doux ; quand le mélange
frémit, ajoutez le bok choy et laissez cuire 1 minute.
Posez les crevettes sur un barbecue chaud, sur un gril
ou dans une poêle et cuisez 1 à 2 minutes de chaque côté.
Répartissez le bok choy sur les assiettes de service
et décorez de crevettes.
(Pour 4 personnes, ou 6 s'il s'agit d'une entrée.)

steaks marinés au vinaigre balsamique

4 steaks de bœuf dans le filet
salade verte
marinade
1/3 de tasse de vinaigre balsamique
1/3 de tasse d'huile d'olive
2 cuil. à soupe de basilic ciselé
1 cuil. à café de poivre noir du moulin
2 morceaux d'écorce de citron
2 gousses d'ail hachées

Ôtez l'excès de gras des steaks. Mélangez le vinaigre
balsamique, l'huile, le basilic, le poivre, les écorces de citron
et l'ail. Mettez la viande à mariner dans ce mélange au
moins 30 minutes.
Saisissez la viande sur un barbecue, dans une poêle ou sur
un gril très chaud. Cuisez selon votre goût. Disposez dans
les assiettes de service sur des feuilles de salade.
(Pour 4 personnes.)

brochettes de poulet aux herbes

4 blancs de poulet
1/4 de tasse de brins de romarin
1/4 de tasse de brins d'origan
10 piment rouges doux, épépinés et coupés en 2
3 cuil. à soupe de jus de citron
3 cuil. à soupe de sauce soja
2 cuil. à café d'huile de sésame
2 gousses d'ail écrasées
2 cuil. à café de gingembre râpé
1 cuil. à soupe de sucre roux

Coupez la chair du poulet en bandes épaisses. Enfilez-les
sur des brochettes avec des brins de romarin et d'origan
et les piments. Mélangez le jus de citron, la sauce soja,
l'huile de sésame, l'ail, le gingembre et le sucre ;
versez sur les brochettes. Laissez mariner 20 minutes.
Posez les brochettes sur le gril chaud et faites cuire
2 minutes de chaque côté. Servez avec une salade verte.
(Pour 4 personnes.)

sardines au citron et au poivre de Sichuan

12 sardines fraîches, fendues en 2
2 panais pelés
huile pour friture
sel de mer
marinade
3 cuil. à soupe de jus de citron
2 cuil. à soupe de poivre de Sichuan* grillé et concassé
2 cuil. à soupe d'huile d'olive
2 cuil. à soupe de basilic thaïlandais ciselé

Lavez et séchez les sardines. Mélangez le jus de citron,
le poivre, l'huile d'olive et le basilic. Versez sur les poissons
et laissez mariner 20 minutes.
Coupez les panais en tranches fines. Chauffez l'huile de
friture dans une poêle et faites dorer les tranches de panais
par petites quantités ; elles doivent être croustillantes.
Égouttez ces « chips » sur du papier absorbant et gardez-
les au chaud dans le four allumé.
Cuisez les sardines pendant 1 à 2 minutes de chaque côté
sur un barbecue chaud, un gril ou à la poêle. Disposez les
tranches de panais frites sur les assiettes de service,
répartissez les sardines, salez et servez.
(Pour 4 personnes.)

sardines au citron et au poivre de Sichuan

sorbet de pamplemousse à la tequila

mangues pralinées à la noix de coco

sorbet de pamplemousse
à la tequila

1 tasse de jus de citron vert
1 cuil. à soupe de zeste de citron vert finement haché
1 ¼ tasse de sucre
3 tasses de jus de pamplemousse rose
⅓ de tasse de tequila

Mettez dans une casserole le jus, le zeste de citron vert
et le sucre. Mélangez sur feu doux pour dissoudre le sucre.
Mélangez le jus de pamplemousse, le sirop de sucre
et la tequila dans un saladier. Versez dans une sorbetière
et suivez les instructions du fabriquant pour faire la glace.
Vous pouvez aussi mettre le mélange au congélateur
pendant 1 heure, remuer, remettre au froid 1 heure,
mélanger à nouveau et placer à nouveau au congélateur
jusqu'à ce que le sorbet prenne. Servez à l'aide d'une
cuiller à glace. (Pour 6 personnes.)

poires au sirop d'érable
et au yaourt

2 poires coupées en tranches
60 g de beurre fondu
⅓ de tasse de cassonade
1 tasse de yaourt épais
¼ de tasse de sirop d'érable

À l'aide d'un pinceau, badigeonnez les tranches de poire
de beurre fondu. Saupoudrez de sucre. Mettez sur un gril
chaud ou dans une poêle et faites dorer 1 minute
de chaque côté. Répartissez les poires dans les assiettes
de service, ajoutez 1 cuillerée de yaourt et nappez
avec le sirop d'érable. (Pour 4 personnes.)

mangues pralinées à
la noix de coco

2 mangues
1 cuil. à soupe de jus de citron vert
pralines à la noix de coco
1 tasse de sucre
½ tasse d'eau
1 tasse de noix de coco râpée et grillée

Faites chauffer à feu doux le sucre et l'eau dans une
casserole en remuant pour dissoudre le sucre.
Laissez bouillir pendant 5 à 7 minutes ; le sirop doit prendre
une couleur dorée. Étalez la noix de coco sur la plaque du
four et versez dessus le sirop chaud. Laissez durcir pendant
5 minutes, puis cassez la praline en petits morceaux.
Coupez les mangues en deux et imprégnez la chair de jus
de citron vert. Posez-les sur le gril chaud, chair vers le bas,
et faites dorer pendant 3 minutes.
Posez les mangues sur les assiettes de service et décorez
de pralines à la noix de coco. (Pour 4 personnes.)

poires au sirop d'érable et au yaourt

autour du feu

barbecue (pour 8)

calmars au piment
brochettes de poulet aux herbes
steaks marinés au vinaigre balsamique
salade d'aubergines à la menthe
sorbet de pamplemousse à la tequila

PRÉPARATION

Les calmars au piment et les brochettes de poulet
constituent des entrées originales. Préparez-les à l'avance
et gardez-les au réfrigérateur jusqu'au moment de
les faire griller. Faites mariner les steaks 2 heures avant
le repas. La salade d'aubergines à la menthe peut
également être cuisinée à l'avance. Servez les plats
principaux avec une salade verte et un choix de moutardes
et de chutneys. Le sorbet peut être confectionné 2 jours
avant le barbecue.

QUELLES BOISSONS PROPOSER ?

L'eau fraîche, qu'elle soit plate ou pétillante, est toujours
la bienvenue lorsque l'on mange au soleil. Certains estiment
qu'il n'y a pas de barbecue digne de ce nom sans bière
glacée, mais nous vous conseillons d'essayer un Pic-Saint-
Loup blanc avec les entrées et un Côte-de-Beaune
avec les steaks. Enfin, un petit verre de tequila
avec le sorbet ne peut pas faire de mal !

dîner marin (pour 4)

sardines au citron et au poivre de Sichuan*
espadon grillé aux feuilles de vigne
mangues pralinées à la noix de coco

PRÉPARATION

Attaquez le repas par les sardines au poivre de Sichuan*,
à la chair fondante et relevée. L'espadon grillé sera
accompagné d'une salade verte assaisonnée d'huile d'olive
et de jus de citron. Ce plat peut être préparé à l'avance
et réservé jusqu'au moment de griller le poisson.
Pour le dessert, vous pouvez confectionner les pralines
de noix de coco avant le repas à condition de les conserver
à l'abri de l'humidité dans une boîte hermétique.

QUELLES BOISSONS PROPOSER ?

Essayez pour commencer les nouvelles eaux minérales aux
fruits et aux herbes. La riche saveur des sardines
s'accommodera bien d'un Jurançon sec. Gardez ce vin
ou changez pour un Chablis avec l'espadon. Terminez par
un Jurançon doux et fleuri pour le dessert, suivi d'un café.

dîner sous les étoiles (pour 6)

pains grillés au sel et au romarin
purée d'aubergines et de haricots blancs
crevettes à la coriandre et bok choy au miel
saumon au citron vert
sorbet de pamplemousse à la tequila

PRÉPARATION

Servez pour commencer la purée d'aubergine sur les
pains grillés. La purée et la pâte à pain peuvent être
préparées à l'avance. Mettez la pâte à pain au congélateur
pour qu'elle arrête de lever*. Des petites portions de
crevettes et de bok choy assureront la transition avec le plat
de saumon au citron vert. Le sorbet de pamplemousse à la
tequila finira bien ce dîner ; il sera préparé 2 jours auparavant.
Servez-le dans des bols glacés ou mieux, faites-le prendre
dans les coupes de service.

QUELLES BOISSONS PROPOSER ?

Un vin blanc pétillant ou un Graves blanc est toujours une
manière agréable de commencer un dîner au jardin.
Cependant, certains de vos invités apprécieront peut-être un
bière bien fraîche à la fin d'une chaude journée. Les crevettes
et le saumon seront accompagnés d'un Gewurztraminer.
Le sorbet s'accommodera d'un petit verre de tequila.
Vous pouvez préférer servir une liqueur après le café.

SANDWICH
BOX

pique-
niques

5

repères

Pour être sûre que votre pique-nique arrivera entier à destination, vous avez tout intérêt à vous préoccuper de la manière dont vous allez le transporter. Par exemple, si vous avez préparé des flans, mieux vaut les emporter dans leur moule entouré d'un linge propre que vous nouerez en guise d'anse. Peut-être votre grand-mère possède-t-elle encore un moule muni d'un couvercle hermétique. Ils sont très pratiques !

paniers à pique-nique

Ils sont souvent très lourds à porter lorsqu'ils sont pleins. Vous avez intérêt à choisir un panier muni de deux anses, de manière à pouvoir diviser la charge. Ces paniers sont bien conçus pour transporter les verres, les assiettes et les couverts.

les récipients

Choisissez les bons récipients pour transporter vos aliments. Certains d'entre eux possèdent des couvercles qui ne sont pas étanches, ce qui peut provoquer un petit désastre si vous avez prévu une sauce ou une vinaigrette. Pour tester l'étanchéité d'un récipient, remplissez-le à demi d'eau, mettez le couvercle et retournez-le au-dessus de l'évier en le secouant vigoureusement. Si l'eau ne coule pas, la nourriture que vous y rangerez arrivera entière à bon port.

plaids et chaises

Emportez un plaid supplémentaire pour pouvoir vous allonger à l'aise. Videz un panier à pique-nique et retournez-le pour y poser les aliments, ou utilisez le dessus de votre glacière. Les chaises pliantes sont souvent lourdes, encombrantes et difficiles à porter ; préférez-leur les sièges improvisés.

la vaisselle

Selon le type de pique-nique prévu, vous pouvez souhaiter emporter différents verres, des assiettes et autres objets fragiles. Pour les protéger, enveloppez-les séparément dans les serviettes de table. Attachez les couverts ensemble pour éviter de les disperser.

la glacière

Elle est pratiquement indispensable lorsqu'il fait chaud. Garnissez-la de glace et rangez à l'intérieur les boissons, les salades, la viande et les fromages. Pour gagner de la place, vous pouvez aussi transporter dans votre glacière les assiettes ou les plats de service. Les verres peuvent également y être empilés.

flasques et thermos

Les thermos sont idéals pour garder les boissons chaudes ou fraîches. N'oubliez pas d'ébouillanter ou de glacer la bouteille avant d'y verser le liquide. Les flasques, plus petites et discrètes, sont pratiques pour emporter un « petit quelque chose » à ajouter au champagne ou à un cocktail de fruits.

boîtes hermétiques

glacière

thermos et flasque

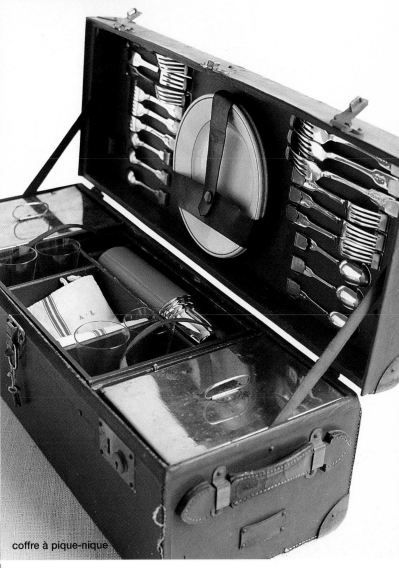

coffre à pique-nique

chaise et coussins

limonade au citron vert et cordial aux fruits de la Passion

sandwichs au poulet et au basilic & galettes de maïs

limonade au citron vert

1 ½ tasse de jus de citron vert
¾ de tasse de sucre
eau minérale plate ou pétillante
2 citrons verts en rondelles
glace pilée

Mélangez le jus de citron et le sucre dans un bol.
Réfrigérez. Au moment de servir, versez dans une cruche
remplie de glaçons et allongez à l'eau minérale. Ajoutez les
rondelles de citron. (Pour 6 à 8 personnes.)

cordial aux fruits de la Passion

1 ½ tasse de jus d'orange
1 ½ tasse d'eau
1 tasse de sucre
1 tasse de pulpe de fruit de la Passion
½ à ¾ de tasse de vodka ou de gin

Versez le jus d'orange, l'eau et le sucre dans une casserole
sur feu moyen et remuez jusqu'à dissolution du sucre.
Portez à ébullition ; laissez frémir 3 minutes, puis incorporez
la pulpe de fruit de la Passion. Laissez refroidir,
ajoutez l'alcool et stockez au réfrigérateur dans une
bouteille stérilisée*. Servez ce cordial avec de l'eau
pétillante ou du champagne. (Pour 6 à 8 personnes.)

pain-surprise aux légumes

1 grosse miche de pain ronde, croustillante
garniture
3 oignons coupés en rondelles
2 cuil. à soupe d'huile d'olive
12 tranches d'aubergines marinées, grillées
½ tasse de feuilles de menthe
20 tranches de courgettes marinées, grillées
1 tasse de roquette
20 demi-tomates grillées au four
½ tasse de feuilles de basilic
250 g de fromage de chèvre ou de ricotta fraîche
20 anneaux de poivron grillés

Coupez le haut de la miche et évidez-la en laissant 4 cm
de mie sous la croûte. Faites brunir les oignons dans l'huile,
sur feu doux, pendant 6 minutes. Disposez en couches
successives à l'intérieur du pain la moitié des oignons,
des aubergines, des courgettes, de la roquette,
des tomates, du basilic, du fromage et des poivrons.
Recommencez une seconde fois et refermez la miche
que vous envelopperez d'un linge propre pour le transport.
Découpez à partir du centre pour servir. (Pour 8 personnes.)

galettes de maïs

3 épis de maïs entiers, sans les feuilles
550 g de citrouille pelée et hachée
½ tasse de couscous
½ tasse d'eau bouillante
¼ de tasse de cumin en poudre
1 piment rouge épépiné et haché
sel de mer et poivre
farine
huile

Faites cuire pendant 5 à 8 minutes le maïs et la citrouille
à l'eau bouillante pour les attendrir. Égouttez et écrasez
la citrouille. Égrenez le maïs. Mettez le couscous dans un
bol et couvrez d'eau bouillante ; laissez gonfler 5 minutes.
Mélangez le couscous, les grains de maïs, la citrouille,
le cumin et le piment. Salez et poivrez selon votre goût.
Avec vos mains mouillées, façonnez ce mélange en forme
de petits pâtés. Passez rapidement chacun d'entre eux
dans la farine. Chauffez à feu vif 2 cm d'huile dans le fond
d'une poêle et faites dorer chaque galette deux minutes de
chaque côté pour qu'elle soit croustillante. Servez chaud
ou froid avec un chutney relevé. (Pour 25 galettes.)

sandwichs au poulet et au basilic

1 baguette coupée en 4
garniture
2 cuil. à soupe de jus de citron
2 cuil. à café d'huile de sésame
2 piments rouges épépinés et hachés
2 cuil. à soupe de sauce soja
2 blancs de poulet en tranches fines
⅓ de tasse de basilic thaïlandais
⅓ de tasse de feuilles de coriandre
⅓ de tasse de feuilles de menthe
12 ciboules de Chine coupées en 2

Mélangez le jus de citron, l'huile de sésame, les piments et
la sauce soja dans un saladier. Ajoutez le poulet et
recouvrez-le bien de sauce. Laissez mariner 30 minutes.
Mélangez le basilic, la coriandre, la menthe et les ciboules.
Répartissez ce mélange sur chaque tranche de pain.
Préchauffez un gril, un barbecue ou une poêle à feu vif.
Sortez le poulet de sa marinade et cuisez-le 2 minutes
sur chaque face. Disposez les morceaux de poulet
sur les aromates. Refermez les sandwichs et servez.
(Pour 4 personnes.)

pain-surprise aux légumes

flans de patates douces à la sauge

tartelettes Parmentier à l'aubergine

minitourtes au bœuf

tarte aux figues et aux myrtilles

tartelettes Parmentier à l'aubergine

300 g de pâte feuilletée
garniture
2 aubergines coupées en rondelles
huile d'olive
1 cuil. à soupe d'huile d'olive vierge
3 pommes de terre pelées et coupées en fines tranches
3 oignons coupés en rondelles
2 cuil. à soupe de thym citronné
3 gousses d'ail hachées
sel de mer et poivre du moulin

Abaissez la pâte jusqu'à une épaisseur de 3 mm sur une surface légèrement farinée. Découpez six cercles de pâte de 12 cm de diamètre ; déposez-les sur la plaque du four beurrée.
Badigeonnez d'huile d'olive les rondelles d'aubergine et faites-les dorer dans une poêle chaude 2 minutes de chaque côté. Retirez de la poêle et réservez. Remettez un peu d'huile dans la poêle, et faites dorer les pommes de terre 2 minutes de chaque côté. Réservez. Mettez les oignons et le thym dans la poêle et faites revenir pendant 8 à 10 minutes. Lorsque les oignons sont bien dorés, laissez refroidir.
Couvrez les tartelettes d'oignons fondus. Ajoutez dans l'ordre les aubergines, les pommes de terre et l'ail haché. Salez et poivrez. Ajoutez quelques gouttes d'huile d'olive et cuisez les tartelettes dans un four préchauffé à 200 °C pendant 20 à 25 minutes jusqu'à ce que la pâte soit dorée et la garniture cuite. (Pour 6 personnes.)

minitourtes au bœuf

500 g de pâte feuilletée
1 œuf légèrement battu
garniture
1 cuil. à soupe d'huile
2 oignons hachés
500 g de bœuf dans le paleron, en dés
1 tasse de bouillon de bœuf*
1/3 de tasse de vin rouge
2 cuil. à soupe de sauce Worcestershire
2 cuil. à soupe de concentré de tomate
2 cuil. à soupe de farine
4 cuil. à soupe d'eau
sel et poivre du moulin

Chauffez l'huile à feu vif dans une casserole. Faites rissoler les oignons 3 minutes pour les attendrir. Ajoutez la viande et poursuivez la cuisson 4 minutes pour la saisir.
Versez dans la casserole le bouillon, le vin, la sauce Worcestershire et le concentré de tomate. Réduisez le feu et faites mijoter à découvert jusqu'à ce que le bœuf soit tendre. Mélangez l'eau et la farine et incorporez à la viande. Portez à ébullition et laissez frémir 1 minute en remuant. Assaisonnez selon votre goût et laissez refroidir.
Abaissez la pâte sur une surface légèrement farinée jusqu'à une épaisseur de 2 mm. Foncez 6 ramequins de cette pâte. Garnissez de farce et recouvrez de cercles de pâte, en pressant le pourtour pour bien fermer.
Badigeonnez d'œuf battu et cuisez dans un four préchauffé à 200 °C pendant 15 à 20 minutes. La croûte doit être gonflée et dorée. (Pour 6 personnes.)

flans de patates douces à la sauge

500 g de patates douces pelées et coupées en dés
huile d'olive
sel de mer
4 œufs légèrement battus
1 tasse de crème liquide
poivre noir du moulin
⅓ de tasse de parmesan râpé
¼ de tasse de petites feuilles de sauge

Mettez l'huile, les patates douces et le sel dans un plat allant au four ; mélangez. Cuisez dans un four préchauffé à 200 °C pendant 25 minutes ; les patates doivent être tendres. Mélangez les œufs, la crème, le poivre et le parmesan. Répartissez ce mélange dans 12 moules à tartelettes beurrées. Recouvrez des patates cuites et des feuilles de sauge. Cuisez dans un four chauffé à 160 °C pendant 20 minutes. Les flans doivent être fermes et dorés. Servez chaud ou froid avec un assaisonnement relevé (Pour 12 flans.)

tarte aux figues et aux myrtilles

350 g de pâte brisée
8 figues fraîches
250 g de myrtilles
garniture
250 g de beurre manié
1 tasse de sucre semoule
250 g de poudre d'amandes
4 œufs
½ tasse de farine
2 cuil. à café de zeste de citron finement râpé

Abaissez la pâte sur une surface légèrement farinée jusqu'à une épaisseur de 2 mm. Foncez un moule à tarte de 23 cm de diamètre. Piquez la pâte à la fourchette, puis placez-la au réfrigérateur pour 30 minutes. Recouvrez la pâte de papier sulfurisé et remplissez le moule de riz. Passez dans un four préchauffé à 200 °C pendant 5 minutes. Retirez le riz et le papier et remettez au four pour encore 5 minutes ; la pâte doit être légèrement dorée.
Garniture : mélangez le beurre et le sucre dans un saladier, en battant pour obtenir une texture crémeuse. Incorporez la poudre d'amandes, les œufs, la farine et le zeste de citron. Versez ce mélange sur le fond de pâte. Pratiquez deux fentes en croix dans la peau au sommet de chaque figue. Enfoncez légèrement celles-ci dans la garniture et parsemez de myrtilles. Cuisez dans un four préchauffé à 180 °C pendant 20 à 30 minutes ; la garniture doit être ferme et les figues tendres. Servez la tarte chaude ou froide avec de la crème fraîche épaisse. (Pour 8 à 10 personnes.)

gâteau coco et sirop de menthe

125 g de beurre
2 cuil. à café de zeste de citron râpé
1 tasse de sucre semoule
3 œufs
2 tasses de noix de coco déshydratée
1 tasse de farine avec levure incorporée
⅓ de tasse de crème fraîche
sirop de menthe
1 tasse de sucre
2 cuil. à soupe de jus de citron
¾ de tasse d'eau
½ tasse de feuilles de menthe

Mettez le beurre, le zeste de citron et le sucre dans le bol d'un mixer et battez pour obtenir un mélange crémeux. Ajoutez les œufs un par un, en battant bien.
Incorporez la noix de coco, la farine et la crème fraîche et mixez à nouveau. Versez cette pâte dans un moule à manqué beurré, de 20 cm de diamètre. Cuisez pendant 45 minutes dans un four préchauffé à 160 °C ; la pointe d'un couteau doit ressortir sèche de la pâte.
Sirop : faites chauffer dans une casserole, sur feu doux, le sucre, le jus de citron, l'eau et la menthe et remuez jusqu'à dissolution du sucre. Laissez frémir 3 minutes avant de filtrer. Versez sans attendre le sirop sur le gâteau chaud. Laissez ce dernier dans son moule et couvrez-le pour le transport. Servez avec de la crème fraîche épaisse.
(Pour 8 à 10 personnes.)

brownies aux deux chocolats

240 g de beurre
240 g de chocolat noir
3 œufs
1 ½ tasse de sucre semoule
1 ½ tasse de farine ordinaire
½ tasse de farine avec levure incorporée
1 ½ tasse de copeaux de chocolat blanc

Placez le beurre et le chocolat noir dans une casserole et faites fondre sur feu très doux en remuant jusqu'à ce que le mélange soit lisse. Mettez les œufs et le sucre semoule dans un saladier et battez pour obtenir un mélange mousseux. Versez-le dans la crème au chocolat, ajoutez les deux farines tamisées et le chocolat blanc et versez dans un moule carré beurré de 23 cm de côté. Cuisez dans un four préchauffé à 180 °C pendant 30 minutes. Laissez refroidir le gâteau, coupez-le en carrés pour obtenir les brownies et saupoudrez de sucre glace ou de cacao. (Pour 24 brownies.)

gâteau coco et sirop de menthe

brownies aux deux chocolats

menus sur l'herbe

en forêt (pour 8)

galettes de maïs
flans de patates douces à la sauge
tartelettes Parmentier à l'aubergine
tarte aux figues et aux myrtilles

PRÉPARATION

Présentez en entrée les galettes de maïs accompagnées d'un chutney ainsi que les flans. Les tartelettes seront servies avec une salade verte assaisonnée au vinaigre balsamique et à l'huile d'olive. La tarte aux figues et aux myrtilles constitue un merveilleux dessert tardif, à déguster dans l'après-midi avec du thé ou du café. Préparez tous ces plats la veille, en réservant la cuisson pour le matin même du pique-nique.

QUELLES BOISSONS PROPOSER ?

Commencez par un cocktail de vin blanc pétillant et de cordial aux fruits de la Passion.
Servez un bordeaux blanc avec les entrées et un Arbois-Chardonnay pour accompagner les tartelettes. Si l'après-midi se rafraîchit, faites circuler une flasque de cognac avec la tarte aux fruits.

au bord de l'eau (pour 6)

flans de patates douces à la sauge
pain-surprise aux légumes
brownies aux deux chocolats
limonade

PRÉPARATION

Offrez pour commencer les flans, suivies du clou du pique-nique, le pain-surprise aux légumes coupé en grosses parts et accompagné de limonade. Vous pouvez réaliser le plus gros de la préparation la veille et réserver la cuisson pour le matin même. Terminez par la douceur sucrée des brownies aux deux chocolats qui peuvent être cuits deux jours à l'avance et conservés dans une boîte hermétique.

QUELLES BOISSONS PROPOSER ?

Prévoyez une glacière que vous poserez à l'ombre sous un arbre. Vous la garnirez de limonade, d'eau minérale pétillante, d'un Artois-Chardonnay et d'une bouteille de Minervois rosé, à siroter doucement dans l'après-midi. Emportez un thermos de café chaud pour servir avec les brownies.

pique-nique gourmand (pour 8)

tartelettes Parmentier à l'aubergine
sandwichs au poulet et au basilic
gâteau coco et sirop de menthe

PRÉPARATION

Coupez les tartelettes en petites portions pour servir avec les apéritifs. Présentez les sandwichs au poulet et au basilic dans des serviettes en papier. Préparez les ingrédients la veille et achevez la cuisson de ces deux plats le matin du pique-nique. Plus avant dans l'après-midi, vous proposerez le gâteau à la noix de coco qui peut être préparé un jour à l'avance et gardé dans une boîte hermétique.

QUELLES BOISSONS PROPOSER ?

Offrez en apéritif un bordeaux blanc, lequel peut d'ailleurs vous suivre tout au long de la journée. Les sandwichs peuvent toutefois fort bien s'accompagner d'un Anjou rouge. Si vous vous sentez un peu lourd, un petit noir serré avec le gâteau à la noix de coco vous redonnera des forces.

cocktails

6

repères

Pour être sûre de réussir vos cocktails et vos buffets, réunissez dans votre bar tous les accessoires et ingrédients nécessaires avant l'arrivée de vos invités. Si vous offrez en amuse-gueules des coquillages ou crustacés, prévoyez des récipients pour les carapaces et autres coquilles. Faute de quoi, vous pourriez fort bien en retrouver dans vos plantes vertes.

la glace

Vous n'en aurez jamais de trop. Remplissez des grands seaux de glace pour rafraîchir champagne, vins et cocktails au moins 1 heure avant l'arrivée de vos invités. Prévoyez beaucoup de glaçons, ainsi qu'un bloc de glace posé sur une grille et un pic à glace pour en prélever des éclats.

le tire-bouchon

Pas de soirée digne de ce nom sans cet instrument aussi fiable que désuet ! En acier inoxydable, il vous servira fidèlement pendant des années. Si vous avez de nombreux invités, prévoyez plusieurs tire-bouchons. Si vous égarez le vôtre, la fête risque d'être bien triste !

le robot ménager

Si vous voulez servir beaucoup de glace pilée, assurez-vous que votre robot ménager est suffisamment puissant. Vous n'avez pas vraiment besoin d'un modèle réservé aux professionnels, mais une puissance d'au moins 400 watts est nécessaire.

le shaker

À chacun son shaker à cocktails qui prend la poussière sur une étagère. Si cet accessoire vous est devenu indispensable, sachez qu'il existe des shakers à tous les prix.

broyeur à glaçons

Pour servir vos cocktails sur de la glace pilée, vous pouvez aussi investir dans un véritable broyeur. Manuels, ils sont assez bon marché, mais vous pouvez choisir un modèle électrique.

les verres

Soyez sûre d'avoir suffisamment de verres, quitte à en louer. Ne servez pas chaque cocktail dans un verre différent, mais une certaine variété est nécessaire : prévoyez par exemple des grands verres pour les daiquiris et les margaritas et des plus petits pour les martinis.

petits accessoires

N'oubliez pas les bâtonnets pour remuer les cocktails, les pailles et autres accessoires. Vive la fantaisie, c'est la fête !

broyeur à glaçons

tire-bouchon

shaker

robot ménager

pailles et mélangeurs

coquilles Saint-Jacques au citron vert et au gingembre

vodka-vanille

coquilles Saint-Jacques au citron vert et au gingembre

24 coquilles Saint-Jacques (dans leurs coquilles)
2 cuil. à soupe de gingembre râpé
2 cuil. à café de zeste de citron vert
2 cuil. à café d'huile de sésame
poivre noir du moulin
2 cuil. à soupe de thym citronné
100 g de beurre légèrement ramolli

Mélangez dans un saladier le gingembre, le zeste de citron, l'huile de sésame, le poivre, le thym et le beurre. Répartissez la pâte obtenue sur les coquilles Saint-Jacques et glissez ces dernières sous un gril très chaud. Laissez dorer 1 minute. Prenez garde de ne pas cuire trop longtemps les coquillages, car ils risquent de continuer à bouillir dans leur jus après les avoir retirés du four. Servez immédiatement. (Pour 24 coquilles.)

vodka-vanille

750 ml de vodka
3 gousses de vanille* fendues

Plongez les gousses de vanille dans la vodka et laissez infuser 1 semaine sur le rebord d'une fenêtre. Pour consommer sec, placez la bouteille au freezer pendant 24 heures avant de servir. Versez sur de la glace si vous allongez la vodka au tonic ou à l'eau gazeuse.

pamplemousse-Campari

500 ml de jus de pamplemousse rose
1/3 de tasse de Campari
6 brins de menthe
300 ml de tonic ou d'eau gazeuse
glace

Mélangez dans un pichet le jus de pamplemousse, le Campari, la menthe et le tonic ou l'eau pétillante. Versez sur des glaçons dans des verres glacés et servez. (Pour 3 à 4 personnes.)

vermouth glacé aux baies rouges

1/2 tasse de gin
1/3 de tasse de vermouth doux
8 cubes de glace
4 cuil. à soupe de baies rouges en purée (myrtilles, etc.)

Mettez le gin, le vermouth, la glace et les baies dans un shaker. Secouez bien et filtrez. Servez dans des verres glacés. (Pour 2 personnes.)

sushi de thon

1 filet de thon de 500 g
2 cuil. à café d'huile de sésame
2 cuil. à café de gingembre haché
4 cuil. à soupe de sauce soja
2 cuil. à soupe de mirin
2 cuil. à soupe de jus de citron
1 cuil. à soupe de persil plat finement ciselé
riz à sushi*
3 feuilles de nori* grillé
gingembre mariné

Badigeonnez le thon d'huile de sésame. Saisissez-le dans une poêle très chaude 5 secondes sur chaque face. Réservez. Mélangez dans un plat le gingembre, la sauce soja, le mirin, le jus de citron et le persil. Mettez le thon à mariner dans cette sauce pendant 1 à 2 heures au réfrigérateur en le retournant de temps en temps. Retirez le poisson de la marinade et coupez-le en tranches fines. Posez la moitié du riz sur une feuille de papier sulfurisé sur un set à sushi. Roulez le riz dans le papier et le set pour obtenir un cylindre compact. À l'aide d'un couteau effilé, coupez ensuite le rouleau de riz en rondelles de 2 cm d'épaisseur. Recommencez avec le reste de riz. Découpez le nori en carrés plus grands que les disques de riz et disposez-les sur le plat de service. Posez sur chaque carré de nori un petit pâté de riz, un morceau de gingembre mariné et une fine tranche de thon. Mouillez d'un peu de marinade et servez. (Pour 32 sushi.)

Pimm's aux agrumes

1/3 de tasse de citron pressé
1/3 de tasse de citron vert pressé
1/3 de tasse d'orange pressée
1/3 de tasse de pamplemousse rose pressé
1 cuil. à soupe de sucre semoule
500 ml de tonic
1/2 tasse de Pimm's n° 1 (à base de gin)

Versez dans un pichet les jus des deux sortes de citron, ainsi que ceux d'orange et de pamplemousse. Incorporez le sucre et mélangez. Ajoutez le tonic et le Pimm's et servez sur de la glace. (Pour 4 à 6 personnes.)

champagne-framboise

750 ml de champagne
10 cuil. à soupe de liqueur de framboise
framboises fraîches

Placez le champagne dans la glace 1 heure avant de servir. Versez 2 cuillerées à soupe de liqueur dans chaque verre, le champagne et ajoutez des framboises. (Pour 5 coupes.)

sushi de thon

ermouth glacé aux baies rouges et champagne-framboise

pamplemousse-Campari et Pimm's aux agrumes

canapés aux figues

sorbet givré à la vodka

cocktail au citron vert

canapés aux figues

1 cuil. à soupe de beurre
¼ de tasse de vinaigre balsamique
2 cuil. à café de sucre
6 figues coupées en 4
garniture
250 g de fromage bleu fort (roquefort par exemple)
⅓ de tasse de mascarpone*
1 cuil. à soupe de persil plat grossièrement haché
poivre noir du moulin
canapés
24 fines tranches de baguette au levain
3 gousses d'ail coupées en 2
huile d'olive

Garniture : mélangez les fromages et le persil ; poivrez selon votre goût. Dans une poêle, chauffez à feu vif le beurre, le vinaigre balsamique et le sucre. Remuez et laissez frémir pour que le mélange réduise un peu. Ajoutez les quartiers de figue, par petites quantités, et faites-les cuire de chaque côté pour qu'ils soit bien enrobés de sauce. Réservez.
Canapés : badigeonnez d'huile d'olive les rondelles de baguette. Enfournez-les sous un gril chaud pour les faire dorer des deux côtés, puis frottez-les d'ail pour les parfumer. Tartinez chaque canapé de fromage persillé et décorez d'un quartier de figue. Réchauffez sous un gril tiède avant de servir. (Pour 24 canapés.)

saumon et concombre mariné

300 g de saumon très frais
24 triangles de pain libanais (pain pita)
concombre mariné
2 concombres coupés en tranches fines
sel de mer
¼ de tasse de vinaigre de vin blanc
1 cuil. à soupe d'aneth ciselé
2 cuil. à café de sucre semoule
1 à 2 cuil. à café de pâte de wasabi*
poivre noir du moulin

Mettez les concombres dans une passoire et saupoudrez de sel. Laissez dégorger 15 minutes. Rincez les rondelles de concombre et séchez-les dans du papier absorbant. Transférez-les dans un saladier et versez dessus un mélange de vinaigre, d'aneth, de sucre, de wasabi et de poivre. Laissez mariner 30 minutes.
Coupez le saumon en 24 tranches que vous répartirez sur le pain. Égouttez les rondelles de concombre et posez-en une petite pile sur chaque tranche de saumon.
Pratiquez une fente au milieu de chaque triangle de pain et repliez ce dernier de manière à superposer 2 angles. Maintenez avec une pique à cocktail. (Pour 24 bouchées.)

sorbet givré à la vodka

1 tasse de sucre
4 tasses d'eau bouillante
1 ½ tasse de jus de citron ou de citron vert
½ à ¾ de tasse de vodka

Versez l'eau bouillante sur le sucre et remuez jusqu'à dissolution de ce dernier. Laissez refroidir légèrement avant d'ajouter le jus de citron et la vodka. Réservez le mélange obtenu au congélateur pendant 2 heures, puis remuez avec une fourchette. Remettez au congélateur jusqu'à ce que le sorbet soit bien ferme. Avant de servir, émiettez la glace à la fourchette ou passez-la rapidement au mixer. (Pour 4 personnes.)

cocktail au citron vert

750 ml d'alcool blanc (vodka, gin ou rhum)
4 citrons verts en rondelles

Mettez l'alcool et les citrons dans un bocal propre et laissez infuser au réfrigérateur au moins 4 jours. Servez sur de la glace, allongé à l'eau gazeuse ou au tonic. Pour le boire sec, ce cocktail doit être placé quelques heures au freezer.

poulet au citron sur feuilles de bétel

2 cuil. à café d'huile de sésame
1 cuil. à soupe de gingembre râpé
1 tige de citronnelle*, finement hachée
6 feuilles de lime* hachées
3 piments rouges épépinés et hachés
300 g de blanc de poulet haché
2 cuil. à soupe de jus de citron
1 cuil. à soupe de nuoc mam
2 cuil. à soupe de sauce soja
12 à 18 feuilles de bétel* (ou jeunes feuilles d'épinards)
brins de coriandre et piment en lanières pour garnir

Chauffez l'huile de sésame à feu vif, dans une poêle ou dans un wok. Faites revenir pendant 1 minute le gingembre, la citronnelle, les feuilles de lime et les piments. Ajoutez le poulet et laissez sauter environ 4 minutes. Incorporez le jus de citron, le nuoc mam et la sauce soja ; mélangez sur le feu pendant encore 1 minute. Garnissez les feuilles de bétel de poulet épicé, décorez d'un brin de coriandre et d'une lanière de piment frais. Servez immédiatement.
(Pour 12 à 18 feuilles.)

poulet au citron sur feuilles de bétel

dés de citrouille au sésame

½ petite citrouille bien tendre
huile
sel de mer
3 cuil. à soupe de miel
2 cuil. à café d'huile de sésame
1 cuil. à soupe de graines de sésame
1 cuil. à soupe de gingembre râpé
3 cuil. à soupe de sauce soja
2 cuil. à soupe de vin de riz chinois (ou de xérès)

Épluchez la citrouille, coupez sa chair en dés de la taille d'une bouchée et badigeonnez d'huile et de sel. Disposez ces cubes en une couche dans un plat en pyrex et cuisez pendant 25 minutes dans le four préchauffé à 200 °C. Mélangez dans une grande poêle le miel, l'huile et les graines de sésame, le gingembre, la sauce soja et le vin. Laissez frémir en tournant pour obtenir un sirop. Ajoutez les dés de citrouille dans la poêle par petites quantités, en les retournant pour bien les enrober de sauce. Placez-les ensuite sur la grille du four tapissée de papier sulfurisé. Enfournez à nouveau et laissez cuire encore 5 minutes à 150 °C. Piquez un cure-dent dans chaque cube et servez immédiatement. (Pour 24 cubes.)

olives au piment et au citron

500 g d'olives kalamata (variété grecque)
3 gousses d'ail non pelées
2 piments rouges hachés
3 cuil. à soupe de jus de citron
1 cuil. à soupe de zeste de citron
1 cuil. à soupe de feuilles de romarin
3 cuil. à soupe d'huile d'olive

Avant de mettre vos olives à mariner, goûtez-les. Si elles sont salées, plongez-les dans un saladier d'eau froide pendant 30 minutes, égouttez-les, puis recommencez en changeant l'eau chaque fois pour les dessaler.
Faites griller à sec les gousses d'ail dans une poêle en les retournant pour les brunir de tous côtés. Retirez les peaux et écrasez l'ail. Ajoutez les piments, le jus et le zeste de citron, le romarin et l'huile ; mélangez bien. Versez cette marinade sur les olives et laissez macérer au réfrigérateur pendant au moins 8 heures. Les olives sont meilleures si elles restent à mariner pendant 2 ou 3 jours.
(Pour 8 à 10 personnes.)

pâté de foie de canard

550 g de foies de canard
½ tasse de cognac
2 cuil. à soupe de beurre
1 cuil. à café de feuilles d'estragon
¼ de cuil. à café de noix muscade râpée
poivre noir du moulin
75 g de beurre ramolli

Nettoyez et dénervez les foies. Placez-les dans un saladier, arrosez de cognac et laissez macérer 2 heures au réfrigérateur. Chauffez le beurre dans une grande poêle sur feu vif jusqu'à ce qu'il grésille. Égouttez les foies en conservant le cognac et faites-les sauter dans la poêle pour qu'ils changent de couleur, puis réservez. Dans la poêle vide, mélangez le cognac, l'estragon, la noix muscade et le poivre et laissez frémir 2 à 3 minutes ; le liquide doit réduire d'un tiers. Versez-le avec les foies dans le bol d'un robot ménager et mixez pour obtenir une purée lisse. Passez-la au tamis. Ajoutez le beurre restant et mixez à nouveau. Couvrez le pâté d'un film plastique et laissez-le se raffermir 2 ou 3 heures au réfrigérateur. Servez sur des tranches de bagels grillées, avec des poires au vinaigre. (Pour 12 personnes.)

poires au vinaigre

3 cuil. à soupe de vinaigre de cidre
2 cuil. à soupe de vinaigre balsamique
2 cuil. à soupe de sucre
poivre noir du moulin
2 poires bien fermes, pelées et coupées en tranches fines

Chauffez les deux vinaigres, le sucre et le poivre dans une poêle. Remuez jusqu'à dissolution du sucre. Ajoutez les poires et laissez frémir 1 minute. Retirez du feu et conservez à température ambiante pendant 1 heure avant de servir avec un pâté. (Pour 12 personnes.)

julep à la pêche

1 tasse d'eau
½ tasse de sucre
1 ½ tasse de feuilles de menthe
1 ½ tasse de jus de pêche blanche
½ à ¾ de tasse de bourbon ou de cognac
eau minérale gazeuse

Chauffez à feu doux l'eau et le sucre dans une casserole, en remuant jusqu'à dissolution. Ajoutez les feuilles de menthe et laissez frémir 3 minutes. Retirez du feu. Laissez reposer 30 minutes, puis filtrez le sirop. Mélangez avec le jus de pêche glacé et le bourbon. Réfrigérez. Servez le julep sur de la glace pilée, allongé à l'eau gazeuse. (Pour 6 personnes.)

dés de citrouille au sésame

olives au piment et au citron

saumon et concombre mariné

pâté de foie de canard et poires au vinaigre

julep à la pêche

autour d'un verre

apéritif (pour 8)

canapés aux figues
dés de citrouille au sésame
coquilles Saint-Jacques au citron vert et au gingembre
Pimm's aux agrumes
champagne-framboise

PRÉPARATION

Pour éveiller les papilles de vos hôtes avant le dîner, offrez des canapés aux figues, suivis de dés de citrouille au sésame et des coquilles Saint-Jacques. Si les portions sont suffisantes, vous pouvez passer directement au plat principal de votre dîner, avant les fromages et le dessert. Les canapés et les dés de citrouille peuvent être cuisinés à l'avance et réchauffés au dernier moment. Préparez le beurre au gingembre et au citron avant l'arrivée de vos invités et faites griller les coquilles Saint-Jacques juste avant de servir.

QUELLES BOISSONS PROPOSER ?

Commencez par quelque chose de léger et rafraîchissant comme un Pimm's aux agrumes ou un champagne-framboise. Un pinot rouge d'Alsace ou un Clos Nicrosi accompagneront les mets.

célébration (pour 10)

coquilles Saint-Jacques au citron vert et au gingembre
olives au piment et au citron
pâté de foie de canard
poires au vinaigre
canapés aux figues
champagne-framboise

PRÉPARATION

Servez les coquilles Saint-Jacques dès l'arrivée de vos invités, suivies d'olives au piment et au citron présentées dans des petits bols ou des gobelets, accompagnés de fourchettes à olives. Le pâté de foie de canard et les canapés aux figues achèveront les agapes en beauté. Vous pouvez préparer ces deux derniers plats avant la fête et faire mariner les olives la veille.

QUELLES BOISSONS PROPOSER ?

Offrez pour commencer des coupes de champagne-framboise pétillant ou un Pinot rouge. Poursuivez la soirée, avec un Clos Nicrosi, en ajoutant peut-être un Narbois rouge velouté pour accompagner le pâté de canard.

cocktail (pour 6)

dés de citrouille au sésame
sushi* de thon
poulet au citron sur feuilles de bétel*
sorbet givré à la vodka
pamplemousse-Campari
vodka-vanille

PRÉPARATION

Servez pour commencer les dés de citrouille au sésame avec le sushi de thon. Le poulet au citron achèvera de combler les appétits. Tous ces plats peuvent être préparés à l'avance. Réchauffez les dés de citrouille et la garniture au poulet avant de servir.

QUELLES BOISSONS PROPOSER ?

Démarrez fort avec le sorbet givré à la vodka, puis proposez le cocktail au Campari. Pour les amateurs, une bonne bière fraîche sera bienvenue par une chaude soirée d'été. Prévoyez assez de glace pour la garder au frais. Finissez par une vodka-vanille, servie sur un sorbet aux fruits.

en un tournemain

7

repères

huiles et vinaigres

Un soupçon d'huile ou de vinaigre ici et là peut sauver le goût d'un plat. Pour cette raison, achetez toujours des huiles et des vinaigres de bonne qualité. Cette dernière sera à la mesure de votre investissement. Stockez ces produits dans un endroit frais et sombre.

HUILE D'OLIVE Ayez de l'huile d'olive vierge, mais aussi de l'huile première pression, au parfum vert et fruité, pour varier les saveurs.

HUILE DE SÉSAME Utilisez une huile de qualité supérieure en provenance d'Asie ; avec parcimonie, car elle couvre le goût des aliments.

HUILE PIMENTÉE Elle peut être relativement douce ou très forte, aussi est-il prudent de la goûter avant de l'ajouter dans un plat.

HUILE VÉGÉTALE Elle est idéale pour les fritures et pour les vinaigrettes peu relevées.

HUILE AROMATISÉE AUX HERBES Excellente dans les vinaigrettes et pour certains plats très parfumés.

VINAIGRE DE VIN BLANC OU ROUGE Choisissez-le de bonne qualité, sa saveur en dépend.

VINAIGRE BALSAMIQUE Il est vieilli comme le vin et à son instar, il est meilleur quand il est de bonne facture.

VINAIGRE AROMATISÉ AUX HERBES Il est excellent dans les vinaigrettes. Vous pouvez aisément le faire vous-même.

sauces et condiments

Pour d'excellentes marinades et vinaigrettes ou pour ajouter directement aux plats de pâtes ou aux salades, constituez-vous une bonne sélection de sauces et condiments. Attention, certains de ces produits doivent être conservés au réfrigérateur après ouverture.

SAUCE SOJA, SAUCE D'HUÎTRES, SAUCE CHILI, NUOC MAM Toujours prêtes à relever les marinades, les sauces, les currys, les plats sautés, etc. (voir p. 32.)

POIVRE ET SEL DE MER Servez-vous du moulin à poivre pour être sûre de sa fraîcheur. Utilisez du gros sel moulu ou de la fleur de sel que vous émietterez entre vos doigts avant de l'utiliser.

PIMENTS SÉCHÉS, GRAINES ET HERBES AROMATIQUES Achetez-les par petites quantités, car ils perdent vite leur arôme. Stockez-les dans des récipients hermétiques et pilez-les, si nécessaire, juste avant de les utiliser.

WASABI* Pâte faite à partir de la racine du raifort, indispensable dans le sushi et certaines marinades. Elle existe en poudre. (Je préfère pour ma part la pâte de fabrication japonaise.)

MOUTARDES ET CHUTNEYS Ils peuvent sauver un sandwich, une marinade ou une sauce insipide. Gardez-en en permanence à votre disposition. J'ai une prédilection pour la marmelade d'oignons, les moutardes de Dijon, aux graines et au miel, la confiture de piment, les chutneys à la mangue et à la citronnelle et pour tout ce qui stimule les papilles gustatives.

OLIVES ET CÂPRES Conservez-les en bocaux, sur vos étagères ou au réfrigérateur. Excellentes dans les sandwichs, les plats de pâtes et tous les aliments un peu fades.

dans vos placards

Une bonne provision d'aliments secs dans vos placards sauvera tout repas improvisé.

BOUILLONS En packs longue conservation ou déshydratés, ils sont de qualité variable. Dans un monde parfait, vous devriez pouvoir les cuisiner vous-même ; certains bouillons surgelés sont de bonne qualité.

PÂTES ET NOUILLES Avec elles, la plainte « il n'y a rien à manger » n'aura plus cours chez vous. Renouvelez régulièrement votre provision et jouez la variété.

RIZ AU JASMIN, RIZ ARBORIO ET RIZ À GRAINS COURTS Indispensables pour certains plats sautés et les currys. Mon favori, le riz arborio, est plus long à préparer, mais je considère comme une thérapie de s'asseoir pour déguster un verre de vin pendant sa cuisson.

POLENTA Quoi de plus réconfortant que de s'asseoir autour d'une polenta parfumée aux herbes, au fromage et au poivre par une froide soirée d'hiver ?

LENTILLES Qu'elles soient rouges, vertes ou brunes, elles entrent dans la composition de nombreuses soupes, de salades et de currys.

COUSCOUS Couvrez-le de bouillon chaud, ajoutez un morceau de beurre, du poivre et des aromates, et à table ! Comment vivre sans le couscous ?

VINS DE CUISINE Une bouteille de vin rouge, une de vin blanc sec, une de mirin : vous serez parée. N'achetez pas un vin trop bon marché : son goût transparaîtra sous celui des aliments.

vinaigre balsamique

huiles aux herbes et au piment

huile végétale, huile d'olive et huile de sésame

vinaigres de vin rouge et blanc

vinaigre aux aromates

en un tournemain

moutardes et chutneys

épices et piments séchés

sel et poivre

aliments salés, marinés et confits

pâtes et purées

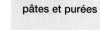

vins de cuisine rouge et blanc

pâtes et nouilles

bouillon

riz

lentilles et céréales

121

fenouil rôti sur salade aux olives

galettes au parmesan et salade de roquette

fenouil rôti sur salade aux olives

4 petits bulbes de fenouil coupés en 4
2 oignons rouges coupés en 8
4 tomates Roma coupées en 2
3 cuil. à soupe d'huile d'olive
2 cuil. à soupe de feuilles d'origan
salade verte
1 tasse d'olives ligures ou de petites olives
vinaigrette
3 cuil. à soupe de vinaigre de cidre
2 cuil. à café de moutarde de Dijon
2 cuil. à soupe d'huile d'olive
1 gousse d'ail écrasée

Mettez le fenouil, les oignons et les tomates dans un plat
en pyrex. Chauffez l'huile à feu doux dans une petite casserole,
ajoutez l'origan et laissez fumer 3 minutes. Versez l'huile
parfumée sur les légumes, et faites cuire ces derniers dans un
four préchauffé à 200 °C pendant 30 minutes.
Vinaigrette : mélangez le vinaigre, la moutarde, l'huile et l'ail.
Présentez les légumes sur un lit de feuilles de salade disposées
sur les assiettes de service. Parsemez d'olives et assaisonnez
avec la vinaigrette. (Pour 4 personnes en entrée, 6 s'il s'agit
d'une garniture pour une viande ou un poisson grillé.)

couscous à la menthe et aux tomates

1 ½ tasse de couscous
1 ⅓ tasse de bouillon de légumes* ou de poulet*
1 cuil. à soupe d'huile d'olive
4 tomates mûres en rondelles épaisses
poivre noir du moulin
2 cuil. à café d'huile
1 oignon haché
2 cuil. à soupe de petites câpres
1 cuil. à soupe de zeste de citron
¼ de tasse d'amandes blanchies, grossièrement concassées
3 cuil. à soupe de menthe ciselée
100 g de feuilles de roquette
175 g de feta marinée à l'huile

Mettez le couscous dans un saladier, couvrez de bouillon
brûlant et laissez gonfler 5 minutes pour que tout le liquide soit
absorbé. Chauffez l'huile sur feu moyen dans une grande poêle.
Parsemez de poivre les rondelles de tomate, puis faites-les
brunir dans la poêle 4 à 5 minutes sur chaque face. Chauffez
dans une autre poêle le reste d'huile, sur feu vif. Faites revenir
l'oignon pendant 3 minutes, puis ajoutez les câpres, le zeste
de citron et les amandes ; laissez cuire 2 minutes. Incorporez le
couscous et la menthe et faites chauffer encore 2 minutes.
Répartissez sur les assiettes de service le couscous puis
les feuilles de roquette, les tranches de feta et les tomates frites.
(Pour 6 personnes en entrée, 4 s'il s'agit d'un plat principal.)

galettes au parmesan et salade de roquette

200 g de feuilles de roquette
3 cuil. à soupe de vinaigre balsamique
2 pamplemousses roses pelés, en quartiers
½ à ¾ de tasse de parmesan en copeaux
poivre noir du moulin
galettes au parmesan
2 feuilles de pain lavash (pain scandinave, très plat)
⅓ de tasse de parmesan finement râpé
¼ de tasse d'huile d'olive

Mélangez dans un saladier la roquette, le vinaigre
balsamique, le pamplemousse, le parmesan et le poivre.
Coupez les pains lavash en 16 bandes de même largeur.
Mélangez le parmesan râpé et l'huile, et tartinez de
cette sauce un côté du pain. Enfournez sous un gril
préchauffé et laissez le pain dorer pendant 1 minute.
Retournez les tranches, tartinez l'autre face et repassez
le pain 1 minute sous le gril.
Disposez 4 bandes de pain sur chaque assiette de service,
de façon qu'elles s'entrecroisent. Répartissez dessus la
roquette et servez. (Pour 4 personnes en entrée, 6 s'il s'agit
d'une garniture pour une viande ou un poisson grillé.)

nouilles et porc au barbecue chinois

8 champignons chinois, séchés
400 g de nouilles fraîches udon* ou Hokkien
3 tasses de bouillon de poulet*
½ tasse de vin de riz chinois ou de xérès
6 fines tranches de gingembre
1 piment vert épépiné et coupé en lanières
4 échalotes hachées
2 cuil. à soupe de feuilles de coriandre
2 tasses de bok choy ou de choy sum haché
350 g de porc au barbecue chinois * (*char suï*)

Mettez les champignons dans un bol et couvrez-les
d'eau bouillante. Laissez tremper 5 minutes avant de
les égoutter et de les sécher. Émincez-les ensuite finement.
Faites tremper les nouilles 1 minute dans l'eau chaude.
Si ce sont des nouilles sèches, cuisez-les à l'eau bouillante,
puis égouttez-les. Répartissez dans les bols de service.
Mélangez dans une casserole le bouillon, le vin,
le gingembre, le piment, les échalotes et la coriandre.
Portez à ébullition, puis ajoutez les légumes verts et versez
ce bouillon dans chaque bol de nouilles. Émincez le porc,
répartissez-le dans les bols et mélangez bien. Parsemez de
champignons avant de servir avec une sauce chili ou des
piments hachés.

(Pour 6 en entrée, 4 s'il s'agit d'un plat principal.)

nouilles et porc au barbecue chinois

truites en croûte au sésame

4 truites de mer de 200 g environ chacune

¼ de tasse de graines de sésame

¼ de tasse de graines de sésame noires*

1 cuil. à soupe d'huile

garniture

1 pied de gai larn, nettoyé et coupé en 2

1 pied de choy sum, nettoyé et coupé en 2

2 cuil. à café d'huile de sésame

1 cuil. à soupe de gingembre râpé

3 cuil. à soupe de sauce d'huîtres

2 cuil. à soupe de sauce soja

1 cuil. à soupe de sucre

3 cuil. à soupe de vin de riz chinois (ou de xérès)

Ôtez la peau des truites. Levez les filets en enlevant le plus d'arêtes possible. Mélangez les graines de sésame et versez-les dans un plat de faible profondeur. Déposez les morceaux de poisson sur la couche de graines, des deux côtés, pour les enrober d'une croûte.
Faites blanchir les légumes verts dans l'eau bouillante pendant 1 minute, puis égouttez.
Chauffez dans une poêle l'huile de sésame, sur feu vif. Ajoutez le gingembre. Au bout d'une minute, incorporez la sauce d'huîtres, la sauce soja, le sucre et le vin. Laissez frémir environ 4 minutes pour que le mélange épaississe. Versez un peu d'huile dans une autre poêle et faites cuire sur feu doux les truites, 1 à 2 minutes de chaque côté. Réchauffez le gai larn et le choy sum dans la sauce ; répartissez les légumes sur les assiettes de service, puis le poisson en croûte et servez. (Pour 4 personnes.)

côtelettes d'agneau et leur purée à l'ail

8 côtelettes doubles d'agneau, parées

1 cuil. à café de poivre du moulin

3 cuil. à soupe de menthe ciselée

½ tasse de vin rouge

1 cuil. à soupe de moutarde à l'ancienne

¼ de cuil. à café de cumin en poudre

purée à l'ail

6 gousses d'ail non pelées

6 pommes de terre à purée, pelées et coupées en dés

2 cuil. à soupe de beurre

1 à 1 ¼ tasse de lait chaud

1 pincée de sel de mer

Disposez les côtelettes dans un plat peu profond. Mélangez le poivre, la menthe, le vin, la moutarde et le cumin et versez sur l'agneau. Laissez mariner au moins 30 minutes (de préférence pendant 2 heures). Faites chauffer une poêle sur feu moyen. Sans ajouter de matière grasse, mettez-y à cuire les gousses d'ail pendant environ 10 minutes pour faire brunir les peaux.
Laissez refroidir, puis épluchez et écrasez l'ail à la fourchette. Plongez les dés de pomme de terre dans une casserole d'eau bouillante et laissez frémir pendant 6 minutes pour les attendrir. Pendant ce temps, égouttez l'agneau et filtrez sa marinade au-dessus d'une petite casserole. Placez cette dernière sur feu doux pour épaissir la sauce. Faites griller l'agneau dans une poêle, sur feu vif, pendant 2 à 3 minutes de chaque côté selon votre goût. Égouttez les pommes de terre, remettez-les dans la casserole chaude avec le beurre et écrasez-les au batteur électrique en ajoutant progressivement le lait chaud pour obtenir une purée épaisse. Incorporez l'ail et le sel. Répartissez sur les assiettes de service la purée et les côtelettes. Assaisonnez de sauce et servez avec une salade de roquette au vinaigre balsamique ou avec des jeunes feuilles d'épinards. (Pour 4 personnes.)

riz pilaf au jasmin et poulet rôti au sel

4 blancs de poulet, avec la peau

huile d'olive

sel de mer

riz pilaf au jasmin

1 cuil. à soupe d'huile

1 cuil. à soupe de beurre

2 oignons hachés

2 racines de coriandre

4 feuilles de lime*

2 piments rouges épépinés, en lanières

1 ½ tasse de riz au jasmin

1 ½ tasse de bouillon de légumes* ou de poulet*

1 à 1 ½ tasse d'eau

Couvrez la peau du poulet de beurre et de sel, en ayant soin de ne pas saler la chair. Chauffez une poêle sur feu vif. Laissez bien brunir le poulet sur sa peau pendant environ 2 minutes. Disposez les blancs de poulet dans un plat en pyrex. Faites cuire dans le four préchauffé à 150 °C pendant 30 minutes. Chauffez le mélange de beurre et d'huile dans une casserole à fond épais. Faites blondir les oignons pendant 3 minutes, puis ajoutez les racines de coriandre, les feuilles de lime et les piments. Laissez cuire 1 minute. Versez le riz dans la casserole. Au bout de 2 minutes, ajoutez le bouillon et la plus grande partie de l'eau. Couvrez et laissez frémir à feu moyen pendant 15 minutes jusqu'à absorption complète du liquide, en ajoutant de l'eau si nécessaire. Retirez les feuilles de lime et les racines de coriandre. Répartissez le riz dans des bols que vous poserez à côté des assiettes de service. Dressez le poulet sur ces dernières. Des pickles de tomates ou un chutney à la mangue accompagnent bien ce plat. (Pour 4 personnes.)

couscous à la menthe et aux tomates

truites en croûte au sésame

127

côtelettes d'agneau et leur purée à l'ail

riz pilaf au jasmin et poulet rôti au sel

linguine aux asperges et à la ricotta

porc au gingembre et aux lentilles

spaghettis aux sept parfums

750 g de spaghettis, de linguine ou de fettuccine frais
3 à 4 cuil. à soupe d'huile d'olive vierge
2 gousses d'ail écrasées
4 cuil. à soupe de petites câpres
1 ½ cuil. à café de flocons de piments séchés ou 3 piments
    rouges épépinés, en lanières
2 cuil. à café de zeste de citron râpé
3 cuil. à soupe de jus de citron
3 à 4 tasses de feuilles de roquette grossièrement hachées
¾ de tasse de parmesan râpé
poivre noir du moulin

Cuisez les spaghettis *al dente* dans une grande quantité
d'eau bouillante salée.
Pendant la cuisson des pâtes, chauffez l'huile dans une
grande casserole, sur feu vif. Faites sauter l'ail et les câpres
pendant 1 minute, puis ajoutez les piments, le jus et
le zeste de citron et laissez cuire 1 autre minute. Égouttez
les pâtes, puis versez-les dans la casserole avec la roquette
et le parmesan. Mélangez, poivrez généreusement et servez
avec du pain chaud croustillant. (Pour 6 personnes en
entrée, 4 s'il s'agit d'un plat principal, avec une salade.)

linguine aux asperges et à la ricotta

500 g de linguine
2 cuil. à soupe de beurre
2 cuil. à soupe d'huile
¾ de tasse de noisettes concassées
3 cuil. à soupe de feuilles de sauge
2 gousses d'ail écrasées
3 cuil. à soupe de jus de citron
sel de mer et poivre noir du moulin
600 g d'asperges vertes, grattées et blanchies
150 g de jeunes feuilles d'épinards
300 g de ricotta salée, en tranches
vinaigre balsamique

Faites cuire les linguine *al dente* dans une grande quantité
d'eau bouillante salée.
Pendant la cuisson des pâtes, faites chauffer le beurre et
l'huile dans une poêle, sur feu vif. Faites dorer les noisettes
et les feuilles de sauge pendant 2 à 3 minutes. Ajoutez l'ail,
puis au bout d'1 minute, le jus de citron et la partie tendre
des asperges. Salez et poivrez. Égouttez les linguine et
mélangez-les au contenu de la poêle.
Répartissez les feuilles d'épinards et les tranches de ricotta
sur les assiettes de service. Dressez les linguine sur ce lit et
assaisonnez au vinaigre balsamique.
(Pour 6 personnes en entrée, 4 s'il s'agit d'un plat principal.)

porc au gingembre et aux lentilles

1 cuil. à soupe d'huile
2 cuil. à soupe de gingembre émincé
1 cuil. à soupe de sucre brun
2 cuil. à soupe de jus de citron vert
1 cuil. à soupe de vinaigre balsamique
750 g de médaillons de porc de 3 cm d'épaisseur
lentilles
1 ½ tasse de lentilles du Puy
2 ½ tasses d'eau
1 cuil. à soupe d'huile
2 cuil. à café de graines de cumin
1 cuil. à soupe de jus de citron vert
2 cuil. à soupe de feuilles de coriandre ciselées
sel de mer et poivre noir du moulin

Chauffez l'huile dans une poêle, sur feu vif. Faites dorer le
gingembre pendant 2 minutes, puis ajoutez le sucre, le jus
de citron vert et le vinaigre. Laissez frémir pour épaissir
le mélange, puis retirez du feu et réservez.
Mettez les lentilles et l'eau salée dans une casserole et
portez à ébullition. Réduisez le feu, couvrez et laissez frémir
pendant 5 à 8 minutes pour que tout le liquide soit absorbé.
Chauffez l'huile dans une poêle et faites revenir les graines
de cumin pendant 1 minute. Ajoutez les lentilles, le jus
de citron, la coriandre, le sel et le poivre et laissez cuire
pendant 5 minutes pour que les lentilles soient bien tendres.
Chauffez une poêle sur feu vif et faites dorer les médaillons
de porc 2 à 3 minutes sur chaque face, selon votre goût,
puis ajoutez la sauce caramélisée au gingembre et laissez
frémir 1 minute. Répartissez les lentilles sur les assiettes de
service, puis les médaillons de porc et leur sauce, et
assaisonnez.
(Pour 4 personnes.)

spaghettis aux 7 parfums

tamarillos au sirop de sauternes

6 tamarillos (fruits exotiques)
1 tasse d'eau
½ tasse de sucre
1 gousse de vanille* fendue en 2
250 ml de sauternes ou de riesling vendanges tardives

Plongez les tamarillos dans une casserole d'eau bouillante pendant 1 minute, puis égouttez-les et ôtez-en la peau. Coupez-les en deux, sans aller jusqu'à la base (voir p. 133). Faites chauffer sur feu doux l'eau, le sucre et la vanille dans une casserole, en remuant jusqu'à dissolution du sucre. Portez à ébullition, puis laissez frémir 3 minutes. Ajoutez les tamarillos et le sauternes, puis retirez la casserole du feu. Laissez tremper les tamarillos dans leur sirop pendant 1 heure ou toute une nuit. Servez dans des bols avec de la crème fraîche. (Pour 6 personnes.)

gratin de fraises et de prunes d'automne

3 tasses de prunes d'automne coupées en morceaux
1 tasse de fraises équeutées, coupées en 2
2 à 3 cuil. à soupe de sucre
½ cuil. à café de cannelle moulue
2 cuil. à soupe de jus de citron
gratin
½ tasse de sucre brun
⅔ de tasse de flocons d'avoine
¼ de tasse de farine
90 g de beurre ramolli
1 cuil. à café de cannelle moulue

Mélangez les fruits avec le sucre, la cannelle et le jus de citron. Répartissez ce mélange dans 4 ramequins. Mélangez le sucre, les flocons d'avoine, la farine, le beurre et la cannelle. Répartissez sur les fruits. Glissez les ramequins dans le four préchauffé à 180 °C et laissez cuire 25 minutes. Le gratin doit être doré et croustillant. Servez chaud ou froid avec de la crème glacée à la vanille. (Pour 4 personnes.)

pêches au marsala et au mascarpone

⅓ de tasse de marsala
2 cuil. à soupe de sucre brun
2 cuil. à soupe de jus d'orange
4 pêches coupées en 2
150 g de mascarpone*
1 ½ cuil. à soupe de sucre glace
3 cuil. à soupe de marsala (pour servir)

Mélangez le marsala, le sucre et le jus d'orange jusqu'à dissolution du sucre. Versez ce sirop sur les pêches et laissez macérer 20 minutes. Mélangez le mascarpone et le sucre glace ; mixez pour obtenir une pâte lisse. Versez les pêches et leur marinade dans une poêle chaude et faites-les dorer 2 à 3 minutes sur chaque face. Dressez les pêches sur les assiettes de service ; déposez à côté une cuillerée à soupe de mascarpone et pratiquez dans ce dernier une petite encoche. Remplissez celle-ci de marsala et comblez la fente avec le reste de fromage. Nappez de sauce et servez. (Pour 4 personnes.)

tamarillos au sirop de sauternes

pêches au marsala et au mascarpone

gratin de fraises et de prunes d'automne

menus éclair

dîner impromptu (pour 4)

spaghettis aux 7 parfums
pêches au marsala et au mascarpone*

PRÉPARATION

Servez en plat de résistance les spaghettis aux 7 parfums avec du pain. Terminez par un dessert simple comme les pêches au marsala. Vous pouvez remplacer les pêches par des poires ou n'importe quel autre fruit qu'il est possible de faire dorer. Si vous n'avez pas le temps de vous procurer du mascarpone, servez de la crème fraîche ou une glace de bonne qualité.

QUELLES BOISSONS PROPOSER ?

Servez pour commencer un vin blanc pétillant ou un vin blanc sec rafraîchissant. Si vous avez des olives marinées au frais, c'est le moment de les offrir. Les pâtes épicées s'accompagneront bien d'un sauvignon bien frais ou d'un sancerre. accompagnez le dessert avec une bonne liqueur douce, servie glacée.

dîner d'étude (pour 6)

galettes au parmesan et salade de roquette
côtelettes d'agneau et leur purée à l'ail
tamarillos au sirop de sauternes

PRÉPARATION

Commencez par un plat simple et léger comme les galettes au parmesan. Si vous avez le temps, préparez celles-ci à l'avance et conservez-les dans un récipient hermétique. En guise de plat principal, servez les côtelettes d'agneau que vous aurez fait mariner depuis le matin. Disposez au milieu de la table un grand saladier d'épinards cuits à la vapeur, généreusement assaisonnés au poivre du moulin et au jus de citron. Terminez le repas par les tamarillos, que vous servirez glacées en été et chaudes pendant les mois les plus froids.

QUELLES BOISSONS PROPOSER ?

La salade est suffisamment relevée pour s'accommoder d'un bourgogne blanc, mais je conseille de la servir plutôt avec un bordeaux blanc. Le goût de l'agneau se mariera bien à un médoc ou à un côtes-du-Rhône. Offrez avec les tamarillos un sauternes ou un Jurançon vendanges tardives.

dîner rapide (pour 8)

fenouil rôti sur salade aux olives
riz pilaf au jasmin et poulet rôti au sel
tamarillos au sirop de sauternes
gratin de fraises et de prunes d'automne

PRÉPARATION

Le fenouil rôti constitue une excellente entrée que vous pouvez préparer à l'avance. Vous pouvez servir froid ou réchauffer les légumes au four. Le riz pilaf au jasmin et son poulet sont faciles à cuisiner en grande quantité. Servez le riz avec des légumes verts cuits à la vapeur ou des haricots verts. Pour le dessert, vous avez le choix entre les tamarillos et le gratin de fruits, qui peuvent tous deux être préparés à l'avance.

QUELLES BOISSONS PROPOSER ?

Un tokay d'Alsace conviendra parfaitement à la salade. Vous pouvez changer pour un Pouilly-Fuissé, mais ce vin peut parfaitement accompagner le plat principal. Pour le dessert, offrez un sauternes, un riesling vendanges tardives ou un Jurançon.

dîner toute affaire cessante (pour 6)

couscous à la menthe et aux tomates
truites en croûte au sésame
gratin de fraises et de prunes d'automne

PRÉPARATION

Préparez le couscous à l'avance, sans ajouter la menthe. Lorsque vos invités arriveront, vous n'aurez plus qu'à faire frire les tomates et à réchauffer le couscous. La truite est un plat de belle présentation qui offre un mélange d'arômes extraordinaire. Terminez par un plateau de fromages et des fruits frais, ou par le gratin de fruits si vous avez le temps de le préparer. Faites vos courses la veille, hormis pour les truites que vous achèterez en rentrant du travail.

QUELLES BOISSONS PROPOSER ?

Un côtes-de-Gascogne rehaussera la saveur épicée du couscous. Un côtes-de-Provence, ou encore un bourgogne, soulignera les saveurs complexes de la truite. Pour le dessert, offrez un muscat, un tokay d'Alsace ou encore un vieux porto.

table
champêtre

repères

Le fait de posséder des ustensiles de bonne qualité facilite grandement la vie. Il n'est pas nécessaire de posséder une batterie de cuisine prestigieuse, mais il faut privilégier les instruments qui vous feront gagner du temps.
Et souvenez-vous bien lorsque vous achetez vos différents ustensiles que le prix conditionne bien souvent leur qualité et leur durée de vie.

plats à four et moules

Achetez un grand plat à four de bonne qualité, solide, avec de larges bords. La même règle vaut pour les moules à gâteau. Bon marché, ils peuvent se déformer, se rouiller et s'attacher. Ayez-en plusieurs de formes différentes, ainsi que des moules à tarte au fond amovible. Séchez-les au four chaud après les avoir lavés.

couteaux

Vous n'en avez besoin que de quelques-uns, mais privilégiez une marque réputée qui offre des couteaux solides, au manche riveté. Il vous faut deux couteaux à découper – l'un de taille moyenne, l'autre plus grand –, un petit couteau pour parer les viandes, et un couteau à dents. Un hachoir et un économe sont utiles. Pensez à la pierre à aiguiser, indispensable pour les entretenir.

marmites et casseroles

Investissez dans des casseroles et des marmites qui devront vous servir 20 ans ou plus. Vous devez avoir des casseroles de toutes les tailles, ainsi qu'une marmite suffisamment grande pour cuire des grandes quantités de soupe ou de bouillon. Les modèles à fond épais, doublé de cuivre ou d'aluminium, conduisent bien la chaleur.

poêles

Il vous faut au moins une petite poêle pour les omelettes et les crêpes et une grande poêle à fond épais pour d'autres usages. Le revêtement antiadhésif permet la réalisation des préparations raffinées.

passoire et chinois

Une passoire conique au treillage fin (chinois) est idéale pour filtrer les sauces. Une grande passoire ronde sert à égoutter le contenu des casseroles et laver lès légumes.

poêles à frire

marmites et casseroles

couteaux

plats à four et moules à gâteau

passoire et chinois

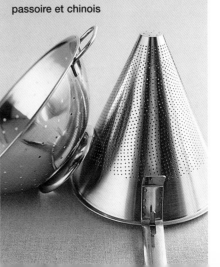

139

côtelettes de veau aux coings

gigot d'agneau rôti aux herbes et aux pommes

côtelettes de veau aux coings

2 cuil. à soupe d'huile
2 cuil. à soupe de feuilles de sauge
poivre noir du moulin
4 côtelettes de veau épaisses
2 cuil. à soupe de beurre
1 coing pelé, épépiné et coupé en tranches
½ tasse d'eau

Chauffez l'huile dans une poêle sur feu vif, avec la sauge
et le poivre. Au bout d'une minute, faites dorer les côtelettes
1 minute sur chaque face ; la viande doit être saisie
et bien dorée. Mettez les côtelettes dans un plat en pyrex
et versez dessus le jus de cuisson.
Faites fondre le beurre dans une poêle, sur feu moyen.
Ajoutez les quartiers de coing et laissez-les dorer 2 minutes de
chaque côté. Versez l'eau dans la poêle, couvrez et laissez
frémir 5 minutes environ pour que tout le liquide soit absorbé.
Ajoutez les quartiers de coing au veau.
Couvrez le plat et glissez-le dans le four préchauffé à 180 °C.
Laissez cuire de 10 à 15 minutes, selon la cuisson désirée.
Servez avec des quartiers de coings sautés et des fèves
agrémentées de beurre et de poivre. (Pour 4 personnes.)

gigot d'agneau rôti aux herbes et aux pommes

1 gros gigot d'agneau désossé
8 brins de thym
3 oignons rouges coupés en 2
1 cuil. à soupe d'huile
3 pommes vertes coupées en 2
farce
1 cuil. à soupe d'huile
2 oignons hachés
2 cuil. à soupe de feuilles d'origan
2 cuil. à soupe de feuilles de thym
3 tasses de pain frais émietté
3 cuil. à soupe de moutarde à l'ancienne

Farce : chauffez l'huile dans une poêle sur feu moyen et faites
dorer les oignons pendant 4 minutes. Ajoutez l'origan et
le thym ; faites cuire encore 1 minute. Mélangez le contenu de
la poêle avec le pain émietté et la moutarde et remplissez
la cavité de l'os. Disposez des brins de thym autour de
l'ouverture, cousez celle-ci pour la fermer. Posez le gigot dans
un plat à four, entouré des oignons rouges badigeonnés d'huile.
Faites rôtir l'agneau dans le four préchauffé à 200 °C pendant
25 minutes. Ajoutez les pommes et remettez au four encore
25 minutes, ou plus selon la cuisson désirée. Les pommes
et les oignons doivent être bien cuits. Coupez la viande
en tranches ; présentez-la entourée de pommes et d'oignons.
À noter : faites désosser le gigot par votre boucher.

poulet rôti à l'ail sur purée de pâtissons

2 têtes d'ail
1 cuil. à soupe d'huile d'olive
4 blancs de poulet sur l'os, sans peau
poivre noir du moulin
purée de pâtissons
750 g de pâtissons (artichauts de Jérusalem)
3 pommes de terre à purée, pelées et coupées en dés
¼ de tasse de crème liquide
2 cuil. à soupe de beurre
poivre noir du moulin et sel de mer

Placez les têtes d'ail entières et non pelées, arrosées d'huile
d'olive, dans un plat en pyrex. Passez dans le four préchauffé
à 200 °C pendant 20 minutes. Pressez les gousses d'ail pour
récupérer la pulpe dont vous badigeonnerez la chair du poulet.
Disposez les blancs dans un plat allant au four, poivrez
et couvrez. Mettez à cuire dans le four préchauffé à 150 °C
pendant 30 minutes ; le poulet doit être tendre.
Posez une casserole d'eau sur feu vif. Pelez les pâtissons
pendant que l'eau chauffe et dès qu'elle frémit, plongez-y sans
attendre les légumes pour éviter qu'ils ne se décolorent. Ajoutez
les pommes de terre et laissez frémir pendant 8 à 12 minutes
pour que les légumes soient tendres. Égouttez. Mettez
la crème liquide et le beurre dans une casserole et faites
chauffer le mélange jusqu'à ce qu'il frémisse. Versez sur les
légumes, et écrasez ces derniers pour obtenir une purée lisse.
Salez et poivrez. Répartissez la purée sur les assiettes de
service et dressez les blancs dessus. Accompagnez de haricots
cuits à la vapeur. (Pour 4 personnes.)

soupe à la tomate

14 tomates mûres, coupées en 2
1 tête d'ail
2 oignons
4 tasses de bouillon de légumes*
3 cuil. à soupe de basilic ciselé
2 cuil. à soupe de menthe ciselée
poivre noir du moulin et sel de mer

Mettez sur la plaque du four les tomates, ainsi que la tête
d'ail et les oignons dans leur peau. Faites cuire au four
préchauffé à 160 °C pendant 45 minutes.
Pelez l'ail et les oignons ; hachez ces derniers. Chauffez l'ail
et l'oignon dans une casserole, sur feu moyen, pendant
3 minutes ; mettez le mélange obtenu, les tomates et la
moitié du bouillon dans le bol d'un robot ménager et mixez
pour obtenir une purée épaisse.
Versez la soupe dans une marmite, ajoutez le reste du
bouillon, le basilic et la menthe.
Salez et poivrez selon votre goût. Laissez frémir 5 minutes.
(Pour 4 personnes, 6 s'il s'agit d'une entrée.)

poulet rôti à l'ail sur purée de pâtissons

soupe à la tomate

filet de bœuf au vin rouge et à la polenta

jarrets d'agneau marinés et braisés

143

✳ filet de bœuf au vin rouge et à la polenta

[annotations manuscrites : + purée pomme de terre à l'ail au four oignon carottes broccoli]

600 g de filet de bœuf ou de macreuse
2 tasses de vin rouge
1 cuil. à soupe de poivre noir du moulin
3 cuil. à soupe de romarin ciselé
3 cuil. à soupe de thym citronné, ciselé
1 cuil. à soupe de baies de genièvre moulues

polenta

1 litre d'eau chaude
2 tasses de lait
1 ¼ tasse de polenta
sel de mer et poivre
85 g de beurre
½ tasse de parmesan râpé

Parez le bœuf. Posez le filet dans un plat peu profond, arrosez de vin rouge et laissez mariner pendant 2 heures, en retournant une fois la viande. Égouttez et essuyez le rôti. Mélangez le poivre, le romarin, le thym et les baies de genièvre. Roulez la viande dans ces aromates pour l'en imprégner. Disposez le filet dans un plat en pyrex et mettez à cuire dans le four préchauffé à 150 °C pendant 45 minutes ou plus, selon la cuisson désirée.
Chauffez le lait et l'eau sur feu moyen dans une casserole à fond épais. Lorsque le liquide frémit, versez lentement la polenta tout en remuant. Réduisez le feu au minimum, couvrez et laissez cuire pendant 20 à 25 minutes, en remuant de temps en temps avec une cuiller en bois pour que la polenta n'attache pas au fond de la casserole. Ajoutez le beurre et le parmesan, salez et poivrez. Découpez le rôti en tranches. Dressez-les sur la polenta dans les assiettes de service. (Pour 4 personnes.)

risotto aux légumes

750 g de patates douces pelées et coupées en dés
6 tomates Roma (olivettes)
2 poireaux coupés en 2
2 à 3 cuil. à soupe d'huile d'olive ou d'huile aromatisée
    aux herbes
2 cuil. à soupe de feuilles de thym citronné
poivre noir du moulin

risotto

4 à 4 ½ tasses de bouillon de légumes* ou de poulet*
1 tasse de vin blanc
1 cuil. à soupe d'huile
2 tasses de riz arborio*
1 cuil. à soupe de feuilles de romarin
2 cuil. à café de zeste de citron
½ tasse de parmesan râpé
poivre noir du moulin et sel de mer

Mettez les patates douces, les tomates et les poireaux dans un plat à four. Arrosez d'huile d'olive et saupoudrez de thym et de poivre. Piquez les tomates à l'aide d'une fourchette. Mettez à cuire dans le four préchauffé à 200 °C pendant 35 minutes.
Versez le bouillon et le vin dans une casserole et faites chauffer sur feu moyen jusqu'à ce que le liquide frémisse. Chauffez l'huile dans une grande casserole, sur feu moyen. Ajoutez le riz, le romarin et le zeste de citron et laissez cuire 3 à 4 minutes pour que le riz devienne transparent.
Versez 1 tasse de bouillon chaud, et continuez à cuire en remuant jusqu'à ce que le liquide soit absorbé. Ajoutez ainsi le bouillon tasse par tasse, en laissant à chaque fois au riz le temps d'absorber le liquide. Lorsque tout le bouillon est utilisé, le riz doit être tendre et crémeux. S'il est encore un peu dur, ajoutez de l'eau bouillante. Ajoutez le parmesan, salez et poivrez selon votre goût.
Répartissez le risotto sur les assiettes de service, puis les légumes rôtis. Posez sur la table une coupelle de parmesan râpé et le moulin à poivre. (Pour 4 à 6 personnes.)

carré de veau aux herbes et panais caramélisés

pain de seigle et de froment

carré de veau aux herbes et panais caramélisés

2 têtes d'ail
huile d'olive
1 kg de poitrine de veau (carré couvert)
6 brins de feuilles de laurier
8 brins de romarin
8 brins d'origan
2 tasses de vin blanc
panais caramélisés
750 g de petits panais, épluchés
2 cuil. à soupe d'huile
3 cuil. à soupe de sucre brun
2 cuil. à soupe de beurre

Mettez les têtes d'ail dans un plat en pyrex, arrosez-les d'un peu d'huile d'olive et faites cuire dans le four préchauffé à 200 °C pendant 20 minutes. Pressez-les et badigeonnez le veau de la purée obtenue.
Réunissez les feuilles de laurier, de romarin et d'origan dans un plat en pyrex et versez dessus le vin blanc. Posez le veau dans le vin et mettez-le cuire à 200 °C pendant 35 à 45 minutes selon la cuisson désirée.
Pendant la cuisson du veau, coupez les panais en deux et disposez-les dans un plat à four. Arrosez d'huile.
Cuisez-les à 200 °C pendant 20 minutes, puis saupoudrez de sucre et parsemez de noisettes de beurre. Remettez au four 10 minutes supplémentaires, en remuant le plat de temps en temps pour bien répartir le sucre.
Découpez le veau et dressez-le sur les assiettes de service avec les panais caramélisés. (Pour 4 personnes.)

jarrets d'agneau marinés et braisés

12 oignons grelots ou petits oignons bruns
3 gousses d'ail pelées
1 cuil. à soupe de baies de genièvre
2 cuil. à café de zeste de citron râpé
8 jarrets d'agneau marinés (voir note ci-dessous)
4 tasses de bouillon de bœuf*
1 tasse de vin rouge
8 très petits panais, pelés
4 tomates Roma (olivettes), pelées
1/3 de tasse de persil plat

Mettez les oignons, l'ail, les baies de genièvre, le zeste de citron, les jarrets d'agneau, le bouillon, le vin, les panais et les tomates dans un grand plat en pyrex. Couvrez et cuisez dans le four (180 °C) pendant 45 minutes. Retournez les jarrets, couvrez et cuisez encore 30 minutes. Servez dans des bols avec le bouillon et du persil. (Pour 4 personnes.)
À noter : demandez à votre boucher de faire mariner les jarrets dans la saumure ou le vinaigre pendant 1 à 2 jours.

pain de seigle et de froment

1 ½ tasse d'eau chaude
2 ½ cuil. à café de levure de boulanger
1 tasse de farine
½ tasse de farine de seigle
½ tasse de farine complète
1 cuil. à café de levure de boulanger (en plus)
1 tasse d'eau chaude (en plus)
3 ½ à 4 tasses de farine (en plus)
1 tasse de farine complète (en plus)
½ tasse de blé concassé
1 cuil. à soupe de sel de mer

Mettez la levure et l'eau chaude dans un bol et laissez reposer pour que le mélange devienne mousseux.
Mélangez les trois sortes de farine et incorporez la levure. Couvrez d'une serviette humide et laissez reposer 1 heure ; la pâte doit doubler de volume.
Versez la pâte dans le bol d'un mixer équipé d'un pétrin. Mélangez le reste de la levure et l'eau et laissez tremper 5 minutes. Sans arrêter le mixer, incorporez le mélange de levure, la farine ordinaire et la farine complète, le blé concassé et le sel. Pétrissez encore 10 minutes à partir du moment où la pâte est lisse.
Couvrez la pâte et laissez lever* environ 1 heure et demie à 2 heures, pour qu'elle double de volume. Posez-la sur une surface légèrement farinée et travaillez-la délicatement. Roulez la pâte en boule et laissez lever* encore 1 heure. Préchauffez une pierre à feu ou quelques briques de terre cuite dans un four à 220 °C pendant 20 minutes.
Remplissez d'eau un vaporisateur et humectez les parois du four pour obtenir de la vapeur, puis refermez la porte. Pratiquez quelques entailles à la surface de la miche, puis enfournez-la sur la pierre ou les briques chaudes. Humidifiez à nouveau les parois du four et refermez rapidement. Réduisez la température à 200 °C et laissez cuire votre pain 1 heure. La croûte doit être bien dorée et rendre un son creux lorsqu'on la frappe. Servez ce pain chaud, avec un beurre de bonne qualité.
(Pour une grosse miche.)
À noter : la pâte vous semblera peut-être collante, mais la farine absorbera l'humidité pendant qu'elle lèvera.

coings au four accompagnés de leur gelée

pudding vapeur au kaki

coings au four accompagnés de leur gelée

4 coings pelés et coupés en 2
3 tasses de sucre
6 tasses d'eau bouillante
1 gousse de vanille*
gelée de coings
2 tasses de crème liquide
½ tasse de lait
3 cuil. à café de gélatine
¼ de tasse d'eau bouillante

Disposez les coings dans un grand plat allant au four. Mélangez bien l'eau et le sucre. Versez le liquide obtenu sur les coings, ajoutez la gousse de vanille et couvrez. Cuisez dans le four préchauffé à 150 °C pendant 4 ou 5 heures en retournant deux fois en cours de cuisson. Les fruits doivent être tendres et rosés.
Prélevez 1 tasse du liquide de cuisson des coings et versez-le dans une casserole. Portez à ébullition et laissez réduire jusqu'à la valeur d'½ tasse. Ajoutez la crème et le lait et laissez chauffer. Faites dissoudre la gélatine dans l'eau bouillante. Ajoutez le liquide obtenu à la crème, puis répartissez le contenu de la casserole dans 8 petits ramequins beurrés. Placez au réfrigérateur pendant 4 heures ; la gelée doit être ferme.
Réchauffez les coings dans leur jus de cuisson et disposez-les sur les assiettes de service. Démoulez à côté les ramequins de gelée et servez. (Pour 8 personnes.)

pudding vapeur au kaki

1 ½ tasse de farine avec levure incorporée
½ cuil. à café de bicarbonate de soude
60 g de beurre ramolli
2 œufs
⅔ de tasse de sucre
3 cuil. à soupe de mélasse
1 ½ tasse de purée de kaki

Mettez dans le bol d'un mixer la farine, le bicarbonate, le beurre, les œufs, le sucre, la mélasse et la purée de kaki. Battez pendant 2 minutes pour bien mélanger les ingrédients. Versez la pâte dans un moule à cake beurré puis couvrez d'un papier aluminium que vous maintiendrez avec une ficelle à l'aide d'un couvercle. Posez le moule dans une grande marmite d'eau bouillante de façon que le niveau du liquide atteigne les trois quarts de la hauteur du récipient. Laissez frémir pendant 2 heures, puis vérifiez la cuisson de la pointe d'un couteau. Attendez 5 minutes avant de le démouler sur le plat de service. Vous l'accompagnerez de tranches de kaki et de crème épaisse parfumée au miel. (Pour 8 personnes.)

pudding brioché aux figues

12 grandes tranches de brioches
5 figues en tranches épaisses
2 tasses de crème liquide
2 tasses de lait
3 œufs
⅓ de tasse de sucre
1 cuil. à café d'extrait de vanille
sucre roux

Graissez un plat à four, d'une capacité de 5 tasses environ. Disposez à l'intérieur, en alternant, une couche de tranches de brioches et une couche de figues. Mélangez dans un saladier la crème, le lait, les œufs, le sucre et l'extrait de vanille. Versez ce mélange sur le pudding et laissez reposer 5 minutes. Saupoudrez de sucre roux et déposez le plat dans un second plat allant au four. Remplissez celui-ci d'eau jusqu'à la moitié de la hauteur du premier plat. Glissez le tout dans le four préchauffé à 180 °C et laissez cuire 25 minutes. Servez chaud, accompagné de boules de crème glacée à la vanille. (Pour 4 à 6 personnes.)

tartelettes au citron vert et à la grenade

1 mesure de pâte brisée*
1 grenade
garniture
90 g de beurre
¾ de tasse de sucre semoule
½ tasse de jus de citron vert
2 œufs légèrement battus

Abaissez la pâte sur une surface légèrement farinée en une couche de 2 mm d'épaisseur. Découpez des cercles dont vous garnirez des moules à tartelettes de 6 cm de diamètre. Piquez la pâte avec une fourchette, garnissez les moules de papier sulfurisé et remplissez-les de riz. Glissez les moules dans un four préchauffé à 200 °C pendant 4 minutes. Retirez le riz et le papier sulfurisé et enfournez à nouveau pendant 4 minutes pour faire dorer la pâte.
Mélangez le beurre, le sucre, le jus de citron et les œufs dans un bol en chauffant au bain-marie pour épaissir la crème. Couvrez et placez au réfrigérateur.
Retirez les graines de la grenade. Répartissez la crème au citron dans les tartelettes et garnissez de graines de grenade. (Pour 12 tartelettes.)

pudding brioché aux figues

tartelettes au citron vert et à la grenade

menus du terroir

dîner familial (pour 8)

soupe à la tomate
pain de seigle et de froment
gigot d'agneau rôti au herbes et aux pommes
pudding vapeur au kaki

PRÉPARATION
La soupe à la tomate peut être cuisinée un jour à l'avance. Réchauffez-la et servez-la avec le pain de seigle et de froment ou achetez un pain de bonne qualité pour le remplacer. Pour le plat principal, prévoyez un grand gigot ou deux petits et ajoutez suffisamment d'oignons et de pommes pour satisfaire tous vos convives. Vous mettrez la viande au four avant de servir la soupe et vous l'accompagnerez de haricots et de brocolis à la vapeur. Le pudding au kaki comblera les appétits.

QUELLES BOISSONS PROPOSER ?
Offrez un pinot rouge d'Alsace ou un médoc avec la soupe. Conservez éventuellement ce dernier pour accompagner le gigot, ou changez pour un côtes-du-Ventoux. Servez avec le dessert un Sainte-Croix-du-Mont, à température ambiante ou assez frais, ou encore un café et un porto.

dîner d'hiver (pour 6)

risotto aux légumes
jarrets d'agneau marinés et braisés
pudding brioché aux figues

PRÉPARATION
Le risotto constitue une entrée copieuse, laquelle sera suivie des jarrets d'agneau accompagnés d'un grand plat de légumes verts à la vapeur. L'agneau peut être préparé la veille et réchauffé. De petites parts de pudding aux figues achèveront ce repas en beauté. Disposez à l'avance dans le plat à cuire les tranches de brioche et les figues et cuisez-les au dernier moment. Accompagnez ce dessert de crème anglaise qui peut également être préparée à l'avance.

QUELLES BOISSONS PROPOSER ?
Pour commencer, offrez un bourgogne aligoté pour accompagner le risotto. Changez pour un Fronton avec l'agneau et un Pacherenic mœlleux pour le pudding.

dîner en tête à tête (pour 2)

soupe à la tomate
carré de veau aux herbes et panais caramélisés
coings au four accompagnés de leur gelée

PRÉPARATION
Servez en entrée la soupe avec du pain chaud. S'il en reste, congelez-la pour un autre repas. Présentez ensuite le carré de veau accompagné de ses légumes. Les coings et leur gelée donneront à la soirée un petit air de fête. Ils peuvent être préparés la veille.

QUELLES BOISSONS PROPOSER ?
La soupe nourrissante et parfumée s'accommodera bien d'un beaujolais ou d'un pomerol. Continuez avec le même vin pour le plat principal ou changez pour un saint-émilion. Servez avec le dessert un riesling vendanges tardives bien glacé.

déjeuner dominical (pour 4)

filet de bœuf au vin rouge et à la polenta
poulet rôti à l'ail sur purée de pâtissons
coings au four accompagnés de leur gelée

PRÉPARATION
Supprimez les entrées ou servez du pain chaud avec une sélection de pâtés. Choisissez entre le filet de bœuf et le poulet rôti pour le plat principal et proposez les coings et leur gelée, qui peuvent être préparés à l'avance, comme dessert.

QUELLES BOISSONS PROPOSER ?
Servez à vos invités un pinot léger dès leur arrivée, pour préparer leurs papilles à un déjeuner à la fois roboratif et savoureux. Offrez un Hermitage avec le bœuf ; si vous avez opté pour le poulet, préférez un Tavel rosé ou un pinot rouge. Les coings seront accompagnés d'un tokay ou riesling vendanges tardives.

le
grand jeu

repères

Pour les grandes occasions, faites briller vos plus beaux verres et nettoyez l'argenterie. N'hésitez pas à mettre les petits plats dans les grands. Cependant, les dîners vraiment collet monté ne sont plus de mise aujourd'hui ; si vous déroulez le tapis rouge, faites-le avec le moins d'ostentation possible. Pour que tout aille bien, préparez à l'avance tous les plats qui peuvent attendre, dressez la table et soyez prête pour les apéritifs et les amuse-gueules avant l'arrivée de vos invités.

nappes et serviettes

Vous pouvez opter pour le linge de table immaculé, ou jouer la couleur et la variété pour égayer votre table et réchauffer l'ambiance.

les verres

Il vaut mieux posséder des verres de bonne qualité plutôt que multiplier les formats et encombrer la table. Le vin blanc et le vin rouge peuvent parfaitement être servis dans le même type de verre que vous changerez ou rincerez avant d'offrir un cru différent. Prévoyez toutefois des verres particuliers pour les vins doux, les portos ou les liqueurs.

les couverts

Tous comme les vêtements, les couverts simples, classiques et de bonne qualité sont les plus élégants. Ils doivent être bien équilibrés et faciles à manier.

la vaisselle

La vaisselle blanche est une valeur sûre, qui donne aux aliments un air de fraîcheur et ouvre l'appétit. Que vous optiez pour le blanc ou la couleur, coordonnez toujours les plats de service et les assiettes.

le décor

Un centre de table peut être à la fois beau à regarder et embaumer la pièce, qu'il s'agisse d'une coupe de coings ou de pamplemousses roses ou d'une corbeille de fleurs.

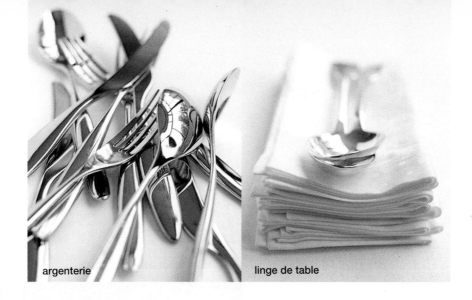

argenterie

linge de table

centre de table

Please sit here

Your place

vaisselle

verres

galettes de pommes de terre aux œufs de caille

huîtres et salade de concombre

galettes de pommes de terre aux œufs de caille

6 œufs de caille
60 g d'œufs de saumon
galettes de pommes de terre
8 pommes de terre pelées, en tranches fines
huile d'olive
1 tasse de parmesan râpé
poivre noir du moulin
1 poireau haché

Badigeonnez d'huile les tranches de pommes de terre et saupoudrez-les de poivre et de parmesan. Formez sur la plaque du four 6 petits tas de tranches de pommes de terre sur lesquels vous répartirez le poireau haché. Mettez à cuire dans le four préchauffé à 200 °C pendant 20 à 25 minutes ; les galettes doivent être dorées et croustillantes.
Plongez les œufs de caille dans une eau frémissante pendant 45 secondes à 1 minute, avant d'ôter leur coquille.
Dressez les galettes sur les assiettes de service chaudes ; décorez chacune d'entre elles d'œufs de saumon et d'un œuf de caille coupé en deux et servez.
(Pour 6 personnes, en entrée.)

huîtres et salade de concombre

36 huîtres
salade de concombre
1 concombre finement émincé
¼ de tasse de feuilles de cerfeuil
2 cuil. à soupe de jus de citron
poivre noir du moulin

Mélangez le concombre, le cerfeuil, le jus de citron et le poivre.
Ôtez les huîtres de leurs coquilles, en gardant la plus creuse. Mettez dans chaque coquille une cuillerée de salade de concombre sur laquelle vous poserez l'huître.
(Pour 4 à 6 personnes, en entrée.)

blancs de poulet aux tomates et aux aubergines

6 tomates Roma (olivettes), coupées en 2
2 petites aubergines coupées en 2 et incisées
huile d'olive
poivre
2 cuil. à soupe de feuilles d'origan
2 cuil. à soupe de beurre
1 cuil. à soupe de jus de citron
4 blancs de poulet avec la peau

Mettez les tomates et les aubergines dans un plat à four, arrosez d'huile et parsemez de poivre et de feuilles d'origan.
Cuisez les légumes pendant 35 minutes dans un four préchauffé à 180 °C.
Faites chauffer le beurre et le jus de citron dans une poêle posée sur feu vif. Ajoutez le poulet et faites-le bien dorer sur sa peau pendant 3 à 4 minutes. Posez le poulet sur les tomates et les aubergines, arrosez de beurre citronné et enfournez à nouveau. Réduisez la température à 150 °C et cuisez encore 15 minutes. Servez le poulet et les légumes avec leur jus. (Pour 4 personnes.)

lasagnes croustillantes au canard

8 petites feuilles de pâte à wontons
huile pour friture
garniture
1 canard au barbecue chinois*
1 cuil. à soupe d'huile
1 poireau haché
120 g de champignons shiitake* frais
2 cuil. à café de zeste d'orange
¼ de tasse de vin de riz chinois

Retirez toute la chair du canard et coupez-la en morceaux assez petits ; réservez.
Chauffez l'huile dans une poêle ou un wok, sur feu vif.
Ajoutez le poireau et laissez-le dorer 6 minutes.
Incorporez les champignons, le zeste d'orange et le vin.
Au bout de 2 minutes, ajoutez le canard et cuisez 2 minutes pour bien le réchauffer.
Faites dorer les feuilles de pâte à wontons dans l'huile chaude. Lorsqu'elles sont croustillantes, égouttez-les sur du papier absorbant. Déposez-en une sur chaque assiette de service, garnissez de hachis de canard, puis recouvrez d'une autre feuille. Servez immédiatement.
(Pour 4 personnes, en entrée ; accompagnez de légumes verts à la vapeur pour un plat principal.)

blancs de poulet aux tomates et aux aubergines

rôti d'agneau aux olives et salade de couscous

lasagnes croustillantes au canard

thon aux nouilles udon et au dashi

rôti d'agneau aux olives et salade de couscous

750 g d'épaule ou de selle d'agneau
1/2 tasse d'olives vertes
2 cuil. à café de zeste de citron
2 cuil. à soupe de persil plat ciselé
2 cuil. à soupe de menthe ciselée
salade de couscous
1 ½ tasse de couscous
1 ½ tasse de bouillon de légumes* chaud
2 cuil. à soupe d'huile d'olive
2 oignons hachés
200 g de haricots verts nettoyés
2 cuil. à soupe de persil plat haché
⅓ de tasse de câpres*
2 cuil. à soupe de jus de citron

Parez le rôti. Hachez finement les olives et mélangez-les avec le zeste de citron, le persil et la menthe. Posez la viande dans un plat à four et assaisonnez au mélange d'épices. Cuisez dans un four préchauffé à 160 °C pendant 30 minutes ou plus, selon votre goût.
Mettez le couscous et le bouillon chaud dans un saladier ; laissez reposer le temps que le liquide soit absorbé.
Chauffez l'huile dans une poêle, sur feu vif. Faites dorer les oignons pendant 5 minutes, puis ajoutez les haricots, le reste du persil, les câpres et le jus de citron. Laissez cuire 4 minutes, puis ajoutez le couscous pour le réchauffer.
Répartissez le couscous sur les assiettes de service, dressez dessus l'agneau découpé en tranches épaisses ; servez avec des quartiers de citron. (Pour 4 personnes.)

côtelettes d'agneau au romarin et purée à l'huile de truffe

12 côtelettes d'agneau
12 brins de romarin
1 cuil. à soupe d'huile
1 cuil. à soupe de moutarde à l'ancienne
purée à l'huile de truffe
8 pommes de terre à purée
50 g de beurre
3 cuil. à soupe de crème liquide
huile parfumée à la truffe

Parez les côtelettes et nouez un brin de romarin autour de chacune d'entre elles. Badigeonnez-les d'un mélange d'huile et de moutarde.
Pelez les pommes de terre et coupez-les en dés.
Plongez-les dans une casserole d'eau bouillante le temps de les attendrir, puis égouttez. Mettez dans la casserole le beurre et la crème. Chauffez pour les faire fondre, ajoutez les pommes de terre et réduisez en purée lisse. Salez.
Chauffez une poêle ou un gril à haute température.
Grillez les côtelettes 1 à 2 minutes de chaque côté selon la cuisson désirée.
Répartissez la purée sur les assiettes de service et arrosez d'huile parfumée à la truffe. Ajoutez les côtelettes et servez avec des asperges à la vapeur. (Pour 4 personnes.)

côtelettes d'agneau au romarin et purée à l'huile de truffe

saumon grillé aux épices

pâtes à l'encre de seiche et au saumon

thon aux nouilles udon et au dashi

3 cuil. à soupe d'huile de piment doux
2 cuil. à soupe de jus de citron vert
2 cuil. à soupe de vinaigre balsamique
1 cuil. à soupe de gingembre râpé
1 cuil. à soupe de coriandre ciselée
4 darnes de thon
200 g de nouilles udon*
3 tasses de dashi*
2 échalotes hachées

Mélangez l'huile de piment, le jus de citron, le vinaigre balsamique, le gingembre et la coriandre. Posez le thon dans cette marinade et laissez macérer 2 heures au réfrigérateur en retournant une fois le poisson.
Cuisez les nouilles udon dans l'eau bouillante, égouttez et répartissez dans les bols de service. Versez dessus le dashi chaud et parsemez d'échalotes. Passez le thon sur le gril ou dans une poêle très chaude entre 30 secondes et 1 minute de chaque côté, pour bien le saisir. Dressez les tranches de poisson sur les nouilles et servez.
(Pour 4 personnes.)

saumon grillé aux épices

650 g de filet de saumon, sans la peau
2 cuil. à soupe de graines de coriandre
poivre noir du moulin
3 cuil. à soupe d'huile d'olive
1 ½ tasse de crème liquide
1 feuille de lime*
1 cuil. à soupe de feuilles de coriandre
1 feuille de nori* grillée, finement coupée
caviar pour servir (facultatif)

Parez le poisson, lavez-le et séchez-le. Faites griller les graines de coriandre dans une poêle sur feu moyen entre 3 et 5 minutes pour qu'elles libèrent leur arôme. Pilez les graines de coriandre dans un mortier et saupoudrez-en le saumon. Coupez le poisson en 4 morceaux ; poivrez légèrement. Versez l'huile dans un plat allant au four, puis disposez dans le plat les tranches de saumon. Cuisez dans le four préchauffé à 120 °C pendant 20 minutes ; le poisson doit changer de couleur.
Pendant la cuisson du saumon, mettez la crème, la feuille de lime et les feuilles de coriandre dans une casserole. Laissez frémir la sauce pour qu'elle réduise de moitié. Versez un peu de sauce sur chaque assiette de service, posez une tranche de saumon, parsemez de nori et décorez d'une cuillerée de caviar. Servez avec des légumes verts à la vapeur. (Pour 4 personnes, en entrée.)

pâtes à l'encre de seiche et au saumon

500 g de pâtes fraîches à l'encre de seiche
90 g de beurre
3 cuil. à soupe de jus de citron
2 cuil. à soupe de brins de cerfeuil
400 g de filet de saumon en tranches fines
poivre noir du moulin
100 g d'œufs de saumon

Faites cuire les pâtes *al dente* dans une grande quantité d'eau bouillante salée. Égouttez. Pendant la cuisson, faites fondre le beurre et l'huile dans une poêle, sur feu vif. Quand le mélange grésille, ajoutez le cerfeuil et cuisez le saumon sur chaque face environ 30 secondes pour qu'il soit bien saisi.
Répartissez les pâtes dans les assiettes de service, puis ajoutez le poisson, son jus de cuisson, du poivre et les œufs de saumon. Servez immédiatement.
(Pour 6 personnes en entrée, 4 s'il s'agit d'un plat principal.)

langoustines grillées sur risotto au citron vert et à la ciboulette

8 langoustines crues ou 8 écrevisses
60 g de beurre fondu
1 cuil. à soupe de petites feuilles de sauge
poivre noir du moulin
risotto au citron et à la ciboulette
4 ½ tasses de bouillon de légumes* ou de poulet*
1 tasse de vin blanc sec
2 cuil. à soupe d'huile
2 cuil. à café de zeste de citron
2 tasses de riz arborio*
3 cuil. à soupe de jus de citron
¼ de tasse de ciboulette hachée
½ tasse de parmesan râpé

Chauffez le bouillon et le vin dans une casserole sur feu moyen et laissez frémir doucement. Chauffez l'huile dans une casserole sur feu moyen. Ajoutez le zeste de citron et le riz et laissez cuire 1 minute. Incorporez petit à petit le bouillon chaud au riz, en remuant fréquemment pour que le mélange n'attache pas et prenne une consistance crémeuse. Continuez jusqu'à ce que tout le liquide soit absorbé et que le riz soit bien tendre. S'il est encore un peu dur, ajoutez de l'eau bouillante, puis mélangez le jus de citron, la ciboulette et le parmesan au riz.
Pendant la cuisson du riz, coupez les queues des langoustines en deux et ôtez les pinces. Mettez pinces et queues sur la plaque du four et parsemez de noisettes de beurre, de feuilles de sauge et de poivre. Glissez-la sous le gril chaud et laissez cuire 2 à 3 minutes. Répartissez le risotto sur les assiettes, dressez les langoustines et servez. (Pour 4 personnes.)

langoustines grillées sur risotto au citron vert et à la ciboulette

risotto caramélisé à la vanille

2 cuil. à soupe de beurre
1 tasse de riz arborio*
1 gousse de vanille* fendue
2 tasses d'eau
2 tasses de lait
3 cuil. à soupe de sucre
1 cuil. à café d'extrait de vanille
1 tasse de crème liquide
2 jaunes d'œufs
sucre (en plus)

Faites fondre le beurre dans une casserole, sur feu doux.
Ajoutez le riz. Au bout de 3 minutes, ajoutez la gousse
de vanille. Parallèlement, faites chauffez dans une casserole
le lait et l'eau. Quand le mélange frémit, commencez à
le verser sur le riz, tasse par tasse, en remuant de temps en
temps jusqu'à ce que tout le liquide soit absorbé. Ôtez la
gousse de vanille, puis incorporez le sucre et l'extrait de
vanille au riz. Mélangez ensemble les jaunes d'œufs
et la crème, versez dans le riz et continuez à cuire en
remuant quelques minutes.
Répartissez le risotto sur les assiettes de service et
saupoudrez le sucre. Faites chauffer une grosse cuiller en
métal ou un fer à caramel* et passez-le sur le sucre pour
qu'il fonde et devienne doré. Servez avec des prunes
rouges chaudes. (Pour 4 à 6 personnes.)

gâteau au chocolat et aux framboises

185 g de beurre
185 g de chocolat noir en morceaux
3 œufs
1/2 cuil. à café d'extrait de vanille
1 1/2 tasse de sucre semoule
1 tasse de farine ordinaire
2/3 de tasse de farine avec levure incorporée
1/2 tasse de poudre d'amandes
1 tasse de framboises

Faites fondre le chocolat avec le beurre dans une casserole
placée sur feu doux, puis laissez légèrement refroidir.
Battez les œufs, l'extrait de vanille et le sucre dans
un saladier pour obtenir un mélange mousseux.
Incorporez dans la crème au chocolat les deux farines,
la poudre d'amandes et la moitié des framboises.
Versez dans un moule à manqué de 20 cm de diamètre,
tapissé de papier sulfurisé. Parsemez du reste des
framboises, puis glissez dans le four préchauffé à 180 °C
pour 35 minutes ; le gâteau doit être ferme. Laissez refroidir
avant de couper. Servez avec un café serré, des framboises
et de la crème fraîche épaisse. (Pour 8 à 10 personnes.)

risotto caramélisé à la vanille

gâteau au chocolat et aux framboises

tartelettes
à la crème citronnée

1 mesure de pâte brisée*
garniture
¾ **de tasse de sucre semoule**
3 œufs
¾ **de tasse de crème liquide**
½ **tasse de jus de citron**
1 cuil. à café de zeste de citron

Abaissez la pâte sur une surface légèrement farinée jusqu'à
une épaisseur de 2 mm. Découpez 6 cercles de pâte dont
vous garnirez 6 petits moules à dariole*, d'un volume
d'1 tasse environ. Doublez la pâte de papier sulfurisé,
remplissez de riz et mettez à cuire dans le four préchauffé
à 200 °C pendant 5 minutes. Ôtez le riz et le papier,
et faites dorer la pâte encore 4 minutes.
Mélangez dans un saladier le sucre, les œufs, la crème,
le jus et le zeste de citron. Répartissez cette garniture dans
les moules et mettez ces derniers dans le four préchauffé
à 160 °C pour 20 minutes. Laissez refroidir. Servez avec de
la crème fraîche et des baies. (Pour 6 personnes.)

cornets de crème glacée

crème glacée à la vanille
cornets
¾ **de tasse de sucre glace**
1 tasse de farine
3 blancs d'œufs
90 g de beurre fondu

Mélangez le sucre glace, la farine, les blancs d'œufs
et le beurre. Laissez reposer 10 minutes.
Sur la plaque du four tapissée de papier sulfurisé, formez
des fines galettes de la valeur de 2 cuillerées à soupe de
pâte chacune. Faites-les cuire dans le four préchauffé à
180 °C pendant 8 à 10 minutes ; elles doivent tout juste
commencer à brunir sur leur pourtour. Ôtez les galettes
de la plaque à l'aide d'une spatule, puis façonnez-les
en forme de cornet sur un rouleau à pâtisserie.
Attendez 1 minute avant de les retirer de ce support.
Garnissez de crème glacée à la vanille et gardez au
congélateur si nécessaire.
(Pour 6 à 8 cornets.)

tartelettes à la crème citronnée

cornets de crème glacée

menus protocolaires

" les beaux-parents viennent dîner " (pour 4)

huîtres et salade de concombre
saumon grillé aux épices
rôti d'agneau aux olives et salade de couscous
gâteau au chocolat et aux framboises

C'est le moment ou jamais de vous renseigner sur ce qu'ils n'aiment pas ! À l'apéritif, quelques huîtres au concombre devraient mettre tout le monde à l'aise. Vous les aurez préparées à l'avance et il ne vous restera plus qu'à les sortir du réfrigérateur. Offrez ensuite le saumon grillé et le rôti d'agneau aux olives. Couronnez ce repas de choix par le gâteau au chocolat et aux framboises ; il constitue un magnifique dessert et peut être cuisiné la veille.

QUELLES BOISSONS PROPOSER ?

Accueillez vos invités par un verre de champagne, qui conviendra très bien avec les huîtres. Le saumon s'accommodera mieux d'un bourgogne blanc. Passez ensuite à un saint-émilion. La douceur du gâteau s'accordera à celle d'un riesling vendanges tardives ou d'un banyuls. Finissez par un café, et n'oubliez pas d'envelopper le restant du gâteau pour l'offrir à belle-maman.

" le patron vient dîner " (pour 6)

huîtres et salade de concombre
lasagnes croustillantes au canard
côtelettes d'agneau au romarin et purée à l'huile de truffe
tartelettes à la crème citronnée

Déroulez le tapis rouge… sans trop en faire, ou vos chances d'obtenir prochainement une augmentation de salaire seraient bien faibles. Soyez à la fois chic et simple. Offrez pour commencer quelques huîtres que vous sortirez du réfrigérateur. Enchaînez avec les lasagnes, puis présentez les côtelettes et leur purée, servies avec de jeunes épinards cuits à la vapeur et assaisonnés de citron, de poivre et de parmesan. Les côtelettes et les pommes de terre auront été préparées à l'avance et vous n'aurez plus qu'à les cuire avant de servir. Terminez avec les tartelettes au citron préparées le matin. Proposez enfin avec le café les truffes au chocolat. Vous aurez 10 sur 10 !

QUELLES BOISSONS PROPOSER ?

Tout d'abord, ne buvez pas trop vous-même, ça ne fait jamais bon effet devant son patron ! Offrez un Graves blanc pour accueillir vos hôtes et déguster les huîtres. Les lasagnes au canard seront délicieuses avec un Costières-de-Nîmes ou un bon pinot rouge. Les côtelettes et leur purée sont très parfumées et un bandol rouge leur conviendra bien. Le goût acidulé des tartelettes se mariera mieux à un vin qui n'est pas trop sirupeux, comme un muscat corse. Passez au salon pour le café, les truffes et le porto.

dîner formel (pour 8)

galettes de pommes de terre aux œufs de caille
langoustines grillées sur risotto au citron et à la ciboulette
blancs de poulet aux tomates et aux aubergines
cornets de crème glacée

PRÉPARATION

Il est difficile de recevoir plus de 8 personnes à la fois pour ce type de dîner, ne serait-ce qu'en raison du nombre de verres, d'assiettes et de couverts nécessaires, sans parler de la taille du four. Pour commencer, les galettes de pommes de terre aux œufs de caille font toujours leur petit effet. Offrez ensuite de petites portions de langoustines et de risotto. Les blancs de poulet aux tomates et aux aubergines que vous servirez comme plat principal sont assez faciles à cuisiner en grande quantité. Les cornets de crème glacée à la vanille peuvent être préparés à l'avance et sont généralement très appréciés.

QUELLES BOISSONS PROPOSER ?

Accueillez vos invités par un Limoux blanc, suivi par un beaujolais avec les galettes de pomme de terre. Proposez un Cassis blanc pour accompagner le risotto, puis un Crozes-Hermitage avec le poulet. Servez un tokay avec les crèmes glacées et offrez cognac ou porto au moment du café.

à l'heure du thé

10

repères

Le thé est un arbrisseau à feuillage persistant qui pousse dans les zones montagneuses subtropicales à tropicales. Il existe des milliers de thé qui varient en fonction du lieu de production, de la méthode de cueillette et des procédés de transformation.

thé noir

Il s'agit d'un thé très fermenté, pratiquement noir. Parmi les thés noirs, citons le darjeeling, le thé assam, le ceylan et le lapsang. Une fois infusés, ils prennent une belle couleur ambrée. Lors de leur transformation, certains sont fumés, ce qui leur donne un arôme particulier.

thé Oolong

Il s'agit d'un mélange de thé noir et de thé vert très peu fermentés. Il possède de grandes feuilles brun-rougeâtre à l'extrémité argentée. Le Oolong est parfumé, avec un arrière-goût caractéristique.

thé vert

Il est produit depuis des siècles en Chine et au Japon. Le thé vert n'est pas fermenté : on fait sécher au soleil les jeunes feuilles, avant de les chauffer dans un wok ou des les fumer légèrement, ce qui les rend moins amères. Les feuilles sont d'un vert vif et possèdent un goût délicat. Parmi les thés verts, citons le lung ching, le sencha et le gen mai cha.

thé blanc

Il s'agit d'une variété rare produite en Chine. Ses feuilles ne sont pas fermentées. On en boit dans les grandes occasions comme les mariages et il est relativement onéreux. Il conserve ses extrémités argentées quand il est infusé. Quelques feuilles suffisent pour faire une tasse de thé.

thés aromatisés

Ils sont de plus en plus populaires. Ce sont parfois des thés fermentés mélangés avec les fruits, les fleurs, les feuilles, les racines ou les tiges d'autres plantes, ou ce sont des mélanges de différents végétaux, sans trace de thé véritable. Ces boissons se préparent de la même manière que le thé et sont parfois utilisées par les homéopathes. Les plus prisés sont les thés à la citronnelle, à la camomille, à la menthe et à la framboise.

thé Oolong

thé vert

thé blanc ou larmes de Bouddha

thé aromatisé

thé noir

à l'heure du thé

petits gâteaux au chocolat

biscuit à la framboise et à la noix de coco

thé glacé à la menthe, au citron et au gingembre & beignets à la banane et au sucre de palme

tartelettes au citron glacé

petits gâteaux au chocolat

300 g de chocolat noir en morceaux
300 g de beurre
5 œufs
1/2 tasse de sucre
3/4 de tasse de farine avec levure incorporée, tamisée

Mettez le chocolat et le beurre dans une casserole et faites-les fondre sur feu doux en remuant. Réservez.
Cassez les œufs dans un saladier, ajoutez le sucre et battez pour obtenir un mélange mousseux (environ 6 minutes).
Incorporez au chocolat et ajoutez la farine ; mélangez.
Versez cette pâte dans 12 ramequins beurrés ou tapissés de papier sulfurisé, puis mettez à cuire dans le four préchauffé à 160 °C pendant 25 minutes ; les gâteaux doivent être fermes au toucher. Saupoudrez de cacao en poudre et servez chaud. (Pour 12 gâteaux.)

biscuits à la framboise et à la noix de coco

125 g de beurre doux
1/4 de tasse de poudre d'amandes
3/4 de tasse de noix de coco déshydratée
1 2/3 tasse de sucre glace tamisé
1/2 tasse de farine tamisée
1/2 cuil. à café de bicarbonate de soude
5 blancs d'œufs
2/3 de tasse de framboises fraîches ou congelées

Mettez le beurre dans une casserole et chauffez sur feu doux pour le faire fondre. Mélangez dans un saladier la poudre d'amandes, la noix de coco, le sucre glace, la farine et le bicarbonate de soude. Ajoutez les blancs d'œufs, mélangez, puis incorporez le beurre fondu.
Versez cette pâte dans de petits moules à brioche, puis parsemez la surface de framboises. Mettez à cuire dans le four préchauffé à 180 °C pendant 12 à 15 minutes ; les biscuits doivent être dorés, élastiques au toucher et rester humides au centre. Servez avec de la crème fraîche et du thé aromatisé aux fruits. (Pour 10 gâteaux.)

thé glacé à la menthe, au citron et au gingembre

4 cuil. à soupe de thé à la menthe
8 à 10 fines tranches de gingembre
1/2 tasse de feuilles de menthe verte
2/3 de tasse de sucre
6 tasses d'eau
1 tasse de jus de citron
feuilles de menthe et tranches de gingembre (en plus)

Mettez le thé, le gingembre et le sucre dans une jatte.
Versez dessus l'eau bouillante et laissez reposer 8 minutes avant de filtrer le liquide. Ajoutez le jus de citron et placez au réfrigérateur pendant 2 heures. Transvasez dans une cruche glacée et ajoutez des feuilles de menthe et des tranches de gingembre. Servez sur des glaçons.
(Pour 6 tasses.)
À noter : ce thé constitue un bon dépuratif et possède des vertus tonifiantes.

beignets à la banane et au sucre de palme

2 bananes en rondelles épaisses
2 cuil. à soupe de jus de citron vert
1/2 tasse de sucre de palme moulu
20 feuilles de pâte à beignets
1 cuil. à soupe de Maïzena
2 cuil. à soupe d'eau
huile pour friture
sucre glace et cannelle

Badigeonnez les rondelles de banane de jus de citron vert et passez-les dans le sucre de palme. Posez un morceau de banane sur la moitié de chaque feuille à beignets, enduisez-en le pourtour de Maïzena diluée, puis repliez la pâte en appuyant bien pour faire adhérer.
Chauffez l'huile dans une poêle et faites dorer les beignets 1 à 2 minutes de chaque côté. Égouttez sur du papier absorbant. Lorsqu'ils sont assez froids, passez-les dans le sucre glace, puis dans la cannelle pour bien les enrober.
Servez chaud avec le thé. (Pour 20 beignets.)

thé au citron vert et aux framboises sauvages & thé glacé à la nectarine et au basilic

tartelettes au citron glacé

1 mesure de pâte brisée*
garniture
2 œufs légèrement battus
²⁄₃ de tasse de jus de citron
¹⁄₃ de tasse de jus de citron vert
1 tasse de sucre semoule
2 tasses de crème liquide
glaçage
2 tasses de sucre
1 tasse d'eau
2 citrons en rondelles
3 citrons verts en rondelles

Abaissez la pâte sur une surface légèrement farinée en une couche de 3 mm d'épaisseur. Foncez 8 moules à tartelette de 10 cm de diamètre, assez profonds. Piquez la pâte avec une fourchette, tapissez de papier sulfurisé et remplissez les moules de riz. Mettez à cuire dans le four préchauffé à 200 °C pendant 5 minutes. Ôtez le riz et le papier et remettez au four encore 5 minutes ; la pâte doit être dorée. Glaçage : chauffez l'eau et le sucre dans une grande casserole posée sur feu doux, en remuant jusqu'à dissolution du sucre. Laissez frémir 1 minute. Ajoutez les rondelles de citron et de citron vert dans la casserole, en une seule couche. Laissez cuire à feu très doux, sans laisser bouillir, pendant 20 minutes ; les écorces des citrons doivent être molles. Transférez les rondelles de citron sur du papier sulfurisé et laissez refroidir.
Garniture : mélangez les œufs, les deux sortes de jus de citron, le sucre et la crème. Versez ce mélange dans les moules et cuisez dans le four préchauffé à 160 °C pendant 10 minutes. Couvrez les tartelettes de tranches de citron glacé et remettez au four 10 minutes supplémentaires. (Pour 8 tartelettes.)

thé au citron vert et aux framboises sauvages

5 cuil. à soupe de thé à la framboise sauvage
4 ¹⁄₂ tasses d'eau bouillante
¹⁄₂ tasse de sucre
¹⁄₃ de tasse de jus de citron vert
1 cuil. à soupe de zeste de citron
¹⁄₂ tasse de framboises

Versez le thé dans l'eau bouillante et laissez infuser 5 minutes. Filtrez, puis mélangez le thé avec le sucre, le jus et le zeste de citron. Laissez refroidir. Ajoutez des framboises et servez sur de la glace pilée. (Pour 4 tasses.)

thé glacé à la nectarine et au basilic

2 cuil. à soupe de feuilles de thé darjeeling
1 tasse de feuilles de basilic
2 cuil. à soupe de feuilles de menthe
¹⁄₂ tasse de sucre
5 tasses d'eau
4 grosses nectarines écrasées et passées au tamis

Mettez le thé, le basilic, la menthe et le sucre dans une jatte. Portez l'eau à ébullition, et versez-la dans la jatte. Laissez infuser pendant 6 à 7 minutes, puis filtrez. Incorporez la purée de nectarines. Réservez au réfrigérateur pendant 2 heures. Versez dans une cruche et ajoutez des tranches de nectarines et des feuilles de basilic. Servez sur des glaçons, dans de grands verres. (Pour 6 verres.)

tartelettes à la ricotta, aux épinards et au parmesan

500 g de ricotta fraîche
¹⁄₃ de tasse de crème fraîche
1 œuf légèrement battu
poivre noir du moulin
1 pincée de noix muscade fraîchement râpée
500 g de jeunes feuilles d'épinards
¹⁄₂ tasse de parmesan finement râpé
¹⁄₄ de tasse de pignons de pin concassés et grillés
1 cuil. à soupe d'aneth haché

Mixez la ricotta dans un robot ménager pour la réduire en une pâte lisse. Versez-la dans un saladier et ajoutez la crème fraîche, l'œuf, le poivre et la noix muscade. Faites blanchir les épinards en les plongeant 5 secondes dans une casserole d'eau bouillante. Égouttez-les et hachez-les, en pressant les feuilles pour en exprimer tout le liquide. Incorporez les épinards, le parmesan, les pignons de pin et l'aneth à la pâte de ricotta. Transférez à la cuiller dans des ramequins beurrés et enfournez à 160 °C pendant 25 à 30 minutes ; les tartelettes doivent être fermes et dorées. (Pour 12 tartelettes.)

tartelettes à la ricotta, aux épinards et au parmesan

thé à la réglisse

sorbet vanille-pomme verte

thé à la réglisse

5 ½ tasses d'eau
3 cuil. à soupe de thé à la réglisse
1 cuil. à soupe d'écorce d'orange en lanières (avec la peau
    blanche)
3 cuil. à soupe de feuilles de menthe
½ tasse de jus d'orange
1 à 2 cuil. à soupe de miel

Portez l'eau à ébullition dans une casserole. Hors du feu,
ajoutez le thé à la réglisse, les écorces d'orange et
la menthe. Laissez infuser 5 minutes. Filtrez le liquide et
versez-le à nouveau dans une casserole. Portez à ébullition,
ajoutez le jus d'orange et du miel selon le goût.
Servez dans des verres chauds. (Pour 4 verres.)

sorbet vanille-pomme verte

1 tasse d'eau bouillante
3 cuil. à soupe de thé à la vanille
4 tasses de jus de pomme verte frais
2 cuil. à café de zeste de citron très finement râpé
1 tasse de sucre

Mettez dans un bol l'eau et le thé à la vanille et laissez
infuser 5 minutes. Filtrez à travers un fin tamis, puis versez
dans une casserole avec 1 tasse de jus de pomme.
Ajoutez le zeste de citron et le sucre, en remuant sur feu
doux jusqu'à dissolution du sucre. Versez dans la casserole
le reste du jus de pomme et placez au réfrigérateur.
Versez le mélange dans une sorbetière et suivez les
indications du fabriquant. Vous pouvez également le mettre
au congélateur dans un récipient métallique
pendant 1 heure. Puis mélangez le sorbet à la fourchette,
remettez-le pour 1 heure au congélateur, mélangez à
nouveau et recommencez. (Pour 4 à 6 personnes.)

gâteaux aux pommes et au miel

1 cuil. à soupe de jus de citron
4 cuil. à soupe de sucre roux
2 cuil. à soupe de beurre
3 pommes vertes pelées et coupées en tranches
gâteau
185 g de beurre
⅔ de tasse de sucre
2 cuil. à soupe de miel
1 cuil. à café d'extrait de vanille
3 œufs
1 ½ tasse de farine tamisée
1 cuil. à café de bicarbonate de soude (ou de levure)

Chauffez le jus de citron, le sucre et le beurre dans une
poêle sur feu vif. Mélangez pour que le liquide devienne
sirupeux. Ajoutez les pommes, petit à petit, et faites-les
dorer 1 minute de chaque côté. Réservez.
Gâteau : battez ensemble le beurre, le sucre et le miel dans
un saladier pour obtenir un mélange crémeux.
Ajoutez l'extrait de vanille et les œufs, un par un,
en battant bien. Mélangez la farine et le bicarbonate
de soude et incorporez-les à la pâte.
Déposez une couche de tranches de pommes au fond de
8 petits moules à gâteau rectangulaires (10 cm x 5 cm
environ), largement beurrés. Remplissez les moules de pâte
jusqu'aux trois quarts de leur hauteur. Enfournez à 160 °C
et laissez cuire pendant 25 minutes. La lame d'un couteau
doit ressortir sèche de la pâte. Démoulez en retournant les
gâteaux sur les assiettes de service. Servez chaud avec de
la crème fraîche et du thé chaud. (Pour 8 gâteaux.)

poires pochées au thé

12 poires passe-crassane*
1 cuil. à soupe de thé à la citronnelle*
3 cuil. à soupe de sucre
1 cuil. à soupe de feuilles de menthe
2 tasses d'eau bouillante
2 cuil. à café de jus de citron

Pelez les poires. Mettez le thé à la citronnelle, le sucre,
la menthe et l'eau dans une cruche et laissez infuser
4 minutes, puis filtrez. Versez le thé dans une casserole et
portez à ébullition. Hors du feu, faites tremper les poires
dans le thé chaud pendant 8 à 10 minutes. Servez les
poires chaudes ou glacées dans des bols, arrosées de thé.
(Pour 4 à 6 personnes.)

poires pochées au thé

gâteaux aux pommes et au miel

autour du thé

thé estival au jardin (pour 10)

biscuits à la framboise et à la noix de coco
petits gâteaux au chocolat
gâteaux aux pommes et au miel
tartelettes à la ricotta, aux épinards et au parmesan
thé glacé à la nectarine et au basilic

PRÉPARATION
Offrez un assortiment de petits gâteaux sucrés à vos invités.
Les biscuits à la framboise et à la noix de coco et les petits
gâteaux au chocolat peuvent être préparés la veille et
conservés à l'abri de l'air. Vous confectionnerez les gâteaux
aux pommes et au miel quelques heures avant de les servir.
Enfin, pour ceux qui préfèrent le salé, prévoyez les tartelettes
à la ricotta qui seront cuisinées un jour à l'avance et gardées
au réfrigérateur jusqu'au moment de les réchauffer.

QUELLES BOISSON PROPOSER ?
Servez le thé à la nectarine et au basilic bien glacé, mais
proposez également d'autres thés, nature ou aromatisés.
L'idéal serait que chaque invité dispose de sa petite théière
et d'eau chaude pour faire infuser la boisson de son choix.
Si vous avez servi un thé glacé au goût fruité ou aromatisé,
un vin blanc pétillant sera sans doute le bienvenu.

tea for 2

beignets à la banane et au sucre de palme
thé à la réglisse

PRÉPARATION
Par une froide après-midi, partagez un moment de plaisir
à deux autour d'une assiettée de délicieux beignets
accompagnés de thé à la réglisse. Préparez-les juste avant
de les servir pour qu'ils soient bien croustillants.

QUELLES BOISSONS PROPOSER ?
Bien que cela puisse sembler un peu osé, le goût de l'ouzo
ou du pastis se marie bien à celui du thé à la réglisse.
À vous de voir…

buffet autour du thé (pour 20)

poires pochées au thé
tartelettes au citron glacé
petits gâteaux au chocolat
tartelettes à la ricotta, aux épinards et au parmesan

PRÉPARATION
Dressez une longue table où vos invités se serviront eux-mêmes.
Préparez une grande coupe de poires pochées au sirop et
présentez sur des plats les tartelettes au citron, les petits gâteaux
au chocolat et les tartelettes à la ricotta. Tout peut être préparé
la veille et conservé à l'abri de l'air dans le réfrigérateur.

QUELLES BOISSONS PROPOSER ?
Servez un ou deux thés glacés différents et proposez un
choix de thés chauds, ainsi qu'un vin blanc pétillant,
ou encore un clairette de Die ou un muscat.

thé en famille (pour 6)

poires pochées au thé
biscuits à la framboise et à la noix de coco
sorbet vanille-pomme verte
gâteaux aux pommes et au miel
thé au citron vert et aux framboises sauvages

PRÉPARATION
Par une chaude journée d'été, servez les poires pochées
et le sorbet vanille-pomme verte qui peuvent tous deux être
préparés la veille. S'il fait plus froid, offrez plutôt
des pâtisseries qui sortent du four, comme les biscuits
à la framboise et à la noix de coco et les gâteaux
aux pommes et au miel.

QUELLES BOISSONS PROPOSER ?
En été, proposez le thé au citron vert aux framboises
sauvages (assurez-vous de la qualité du thé à la framboise).
Par une journée froide, offrez un thé chaud au gingembre et
au citron par exemple, ou un thé noir fumé.

glossaire

bocaux stérilisés

Avant d'utiliser les bocaux pour conserver vos aliments, vous devez les stériliser. Lavez-les bien à l'eau chaude, placez-les sur une grille et mettez au four préchauffé à 100 °C pendant 30 minutes. Sortez les bocaux du four, remplissez-les et fermez-les hermétiquement.

bouillon de bœuf

1 kg ½ d'os de bœuf brisés
2 oignons coupés en 4
2 carottes coupées en 4
2 branches de céleri en morceaux
herbes aromatiques fraîches
2 feuilles de laurier
10 grains de poivre
4 litres d'eau

Mettez les os dans un plat allant au four et faites-les cuire dans le four préchauffé à 220 °C pendant 30 minutes. Ajoutez les oignons et les carottes et enfournez à nouveau pour 20 minutes. Ôtez les os et les légumes du plat et placez-les dans une grande marmite. Dégraissez le jus de cuisson qui reste dans le plat en ajoutant 2 tasses d'eau bouillante, mélangez bien et versez dans la marmite. Ajoutez le céleri, les herbes aromatiques, les feuilles de laurier, le poivre et l'eau. Portez à ébullition et laissez frémir pendant 4 à 5 heures en écumant de temps en temps. Filtrez le bouillon. Il se conserve 3 jours au réfrigérateur et plus de 3 mois au congélateur. (Pour 2,5 à 3 litres de bouillon – 10 à 12 tasses.)

bouillon de légumes

4 litres d'eau
1 panais
2 oignons coupés en 4
1 gousse d'ail pelée
2 carottes coupées en 4
300 g de chou grossièrement haché
3 branches de céleri coupées
       en morceaux
1 petit bouquet d'herbes aromatiques
2 feuilles de laurier
1 cuil. à soupe de poivre en grains

Mettez tous les ingrédients dans une marmite et laissez frémir pendant 2 heures, en écumant de temps en temps. Filtrez le bouillon. Il se garde 4 jours au réfrigérateur et plus de 8 mois au congélateur. (Pour 2 ½ à 3 litres de bouillon – 10 à 12 tasses.)

bouillon de poisson

1 cuil. à soupe de beurre
1 oignon finement haché
750 g d'arêtes de poisson hachées
1 tasse de vin blanc
1 litre d'eau
10 grains de poivre
3 à 4 brins d'herbes aromatiques
1 feuille de laurier

Faites revenir l'oignon et le beurre dans une casserole placée sur feu doux pendant 10 minutes, sans laisser brunir l'oignon. Ajoutez les arêtes, le vin, l'eau, le poivre, les herbes aromatiques et la feuille de laurier. Laissez frémir 20 minutes en écumant de temps en temps. Filtrez le bouillon et laissez refroidir. Il se garde 2 jours au réfrigérateur et 2 mois au congélateur. (Pour 3 à 4 tasses.)
À noter : ne laissez pas frémir le bouillon plus de 20 minutes ou il tournerait.

bouillon de poulet

1kg ½ d'os de poulet brisés
2 oignons coupés en 4
2 carottes coupées en 4
2 branches de céleri coupées en morceaux
herbes aromatiques fraîches
2 feuilles de laurier
10 grains de poivre
4 litres d'eau

Mettez tous les ingrédients dans une grande marmite, portez à ébullition et laissez frémir pendant 3 à 4 heures, en écumant de temps en temps pendant la cuisson. Filtrez le bouillon. Il se conserve 3 jours au réfrigérateur et plus de 3 mois au congélateur. (Pour 2,5 à 3 litres de bouillon – 10 à 12 tasses.)

câpres

La fleur du câprier donne naissance à une baie ovale pleine de graines minuscules. Les câpres sont vendues avec leurs petites tiges, marinées dans du vinaigre ou en saumure. En vente dans les épiceries.

cerfeuil

Herbe longue et délicate qui possède un léger parfum anisé. Son arôme diminue dès qu'il est haché, aussi ne l'ajoutez aux plats que juste avant de servir.

champignons shiitake

Originaires du Japon et de Corée, ces champignons possèdent un goût fumé très particulier qui rappelle celui de la viande. Ils présentent un chapeau brunâtre au dessous crémeux. En vente dans les bons magasins de fruits et légumes.

citronnelle

Plante à longues tiges, à l'odeur de citron, utilisée en Asie, notamment en cuisine thaïlandaise. Écartez les feuilles extérieures et conservez le bulbe tendre du centre.

dashi (bouillon)

4 tasses d'eau froide
5 cm de kombu (varech géant séché)
3 cuil. à soupe de flocons de bonite*

Faites chauffer l'eau avec le kombu dans une casserole. Lorsque l'eau commence à frémir, ôtez le kombu. En effet, si vous le laissez bouillir, le dashi aura une mauvaise odeur. S'il est mou lorsque vous le retirez, il a suffisamment parfumé le bouillon. Ajoutez les flocons de bonite dans la casserole et portez à ébullition. Dès les premiers bouillons, retirez du feu et laissez reposer 5 minutes avant de filtrer le dashi. Il est prêt à entrer dans la composition de différents plats.

fer à caramel

Disque d'acier épais monté sur un long manche, que l'on chauffe au-dessus du gaz ou sur une plaque électrique avant de le passer sur le sucre à la surface d'une crème brûlée pour le caraméliser. Cet appareil permet de caraméliser très rapidement le sucre sans que la crème soit elle-même chauffée. Si vous avez du mal à trouver un fer à caramel, une petite lampe à souder que vous achèterez en quincaillerie fera l'affaire.

feuilles de bétel

Feuiiles d'une variété de poivrier grimpant originaire de Malaisie et que l'on appelle également *cha plu*. Elles sont vendues en bouquets, sur leurs tiges. Effeuillez-les, trempez-les dans l'eau froide afin de les rafraîchir. Elles sont utilisées pour envelopper de petites bouchées de nourriture ou hachées dans les salades. En vente dans les épiceries asiatiques.

flocons de bonite

Petits copeaux de chair prélevés sur un filet de bonite (thon) séchée. Ils ressemblent à des copeaux de bois de couleur rose et sont utilisés pour cuisiner le dashi*, bouillon qui entre dans la composition de nombreux plats japonais. En vente dans les épiceries asiatiques.

galanga

Rhizome de la famille du gingembre à la peau rosée. Il peut être utilisé frais ou découpé en tranches et préparé en saumure.

gousses de vanille

Gousses fermentées et séchées provenant d'une variété d'orchidée originaire du Mexique. Longues et sombres, les gousses de bonne qualité sont souples et odorantes. En vente dans les épiceries fines et certains supermarchés.

graines de sésame noires

De la même famille que les graines de sésame blanches, elles peuvent les remplacer dans certaines recettes.

haloumi

Fromage à pâte ferme et salée, fabriqué à partir de lait de brebis. De consistance friable, il est souvent vendu en saumure. En vente dans les épiceries fines et certains supermarchés.

laisser lever

Procédé consistant à laisser reposer une pâte contenant de la levure dans un endroit chaud, pour qu'elle gonfle.

lime

Fruit au jus acide couramment appelé citron vert. Ses feuilles parfumées sont écrasées ou ciselées et utilisées pour aromatiser les plats. Les limes sont largement employés dans la cuisine thaïlandaise pour leur jus et leur écorce. Le fruit frais et les feuilles (en paquets, fraîches ou séchées) sont en vente dans les épiceries exotiques.

mascarpone

Fromage italien frais et crémeux, dont la consistance est identique à celle de la crème épaisse. En vente dans les épiceries fines et certains supermarchés.

miso

Pâte épaisse faite à partir de haricots de soja fermentés. Le miso rouge contient de l'orge, le miso jaune du riz et des haricots de soja.

moules à dariole

Petits moules de métal cylindriques aux parois légèrement évasées, pour les puddings ou les soufflés.

nori

Fines feuilles de varech séché, souvent grillées. Le nori est utilisé pour envelopper le sushi et parfumer les soupes japonaises. Si vous trouvez du nori frais, faites-le griller 3 secondes sur chaque face à feu doux avant de l'utiliser. Les feuilles sont vendues en paquets dans les épiceries asiatiques.

nouilles soba au thé vert

Spécialité du nord du Japon, ces nouilles fines à la farine de sarrasin sont parfumées au thé vert. En vente dans les épiceries japonaises et les épiceries asiatiques.

nouilles udon

Nouilles japonaises blanches à base de farine de blé, vendues fraîches (au rayon frais) ou sèches, en différentes largeurs et longueurs.

papier de riz

Fines feuilles circulaires, transparentes, constituées de farine de riz et d'eau. Avant de les utiliser, badigeonnez-les d'eau ou faites-les tremper pour les assouplir. En vente dans les épiceries asiatiques.

pâte brisée

2 tasses de farine
150 g de beurre en petits morceaux
eau glacée

Mixez la farine et le beurre dans le bol d'un robot ménager jusqu'à ce que le mélange prenne une consistance sableuse.
Ajoutez suffisamment d'eau glacée pour obtenir une boule de pâte molle. Retirez du mixer et pétrissez légèrement. Enveloppez la pâte d'une feuille de plastique et réfrigérez 30 minutes avant de l'étaler, pour éviter qu'elle ne se rétracte en cuisant. (Pour 1 mesure.)

pâte brisée sucrée

2 tasses de farine
3 cuil. à soupe de sucre semoule
150 g de beurre
eau glacée

Mixez la farine, le beurre et le sucre dans le bol d'un robot ménager jusqu'à ce que le mélange prenne une consistance sableuse.
Procédez exactement comme pour la pâte brisée.

pâte feuilletée sucrée

2 tasses de farine
2 cuil. à soupe de sucre semoule
60 g de beurre
150 ml d'eau
125 g de beurre (en plus)

Mixez la farine, le sucre et les 60 g de beurre dans le bol d'un robot ménager jusqu'à ce que le mélange prenne un aspect sableux. En laissant tourner l'appareil, ajoutez l'eau pour obtenir une pâte lisse. Abaissez la pâte sur une surface farinée en un rectangle de 45 cm de long sur 2 cm d'épaisseur. Travaillez le beurre restant pour l'amollir, sans le faire fondre. Étalez-le sur les deux tiers de la longueur de la pâte, puis repliez le tiers restant sur le beurre. Pliez une seconde fois pour recouvrir le beurre, puis pressez les bords pour sceller la pâte. Couvrez et réfrigérez pendant 15 minutes avant usage. (Pour une mesure.)

poires passe-crassane

Petites poires sucrées, délicieuses à déguster crues ou pochées.

poivre de Sichuan

Contrairement à ce que son nom laisse penser, il ne s'agit pas de poivre, mais des petites baies rouges d'un arbuste originaire de la province chinoise de Sichuan. Elles possèdent un goût et un arôme très particuliers. Faites-les griller ou chauffer avant de les écraser. En vente dans les épiceries produits exotiques.

porc ou canard au barbecue chinois

Viande épicée cuite en Chine au barbecue de manière traditionnelle. En vente dans les épiceries chinoises.

revêtement antiadhésif

Revêtement de céramique ou de verre qui tapisse l'intérieur de certains bols ou saladiers. Il est nécessaire lorsque l'on cuisine des aliments très acides ou du vinaigre. En ce qui concerne les casseroles, tous les matériaux conviennent pour cuisiner ce type d'aliments, sauf l'aluminium.

riz arborio

Il doit son nom à un village du Piémont, dans le nord de l'Italie. C'est un riz à grain court utilisé pour les risottos qui perd un peu d'amidon en cuisant, ce qui lui donne une consistance crémeuse. Parmi les autres riz à risottos, citons le violone et le carnaroli.

riz à sushi

1 tasse 1/2 de riz à grains courts
2 tasses d'eau
5 cm de kombu (varech géant séché)
1/3 de tasse de vinaigre de riz
2 cuil. à soupe de sucre
sel

Versez le riz dans une passoire et rincez-le bien sous l'eau courante. Mettez-le ensuite avec l'eau dans une casserole, puis ajoutez le morceau de kombu. Couvrez et faites chauffer à feu moyen. Ôtez le kombu lorsque l'eau commence à bouillir. Couvrez à nouveau et laissez bouillir 2 minutes. Réduisez le feu et faites cuire 15 minutes à couvert. Tout le liquide doit être absorbé. Versez le riz dans un saladier de verre ou de céramique. Mélangez dans un bol le vinaigre, le sucre et le sel et versez ce mélange sur le riz encore chaud en remuant avec une cuiller en bois. Continuez à mélanger jusqu'à ce que le riz soit froid. Couvrez d'un linge humide jusqu'au moment de vous en servir. (Pour une mesure.)
À noter : pendant la cuisson, fermez la casserole hermétiquement.

riz gluant

Surtout utilisé dans les desserts, le riz gluant est composé d'un mélange de grains blancs et noirs, longs et courts, qui deviennent mous et collants à la cuisson. Faites-le tremper toute une nuit si vous souhaitez le cuire à la vapeur, ou utilisez-le tel quel si vous le cuisinez à l'eau. En vente dans les épiceries asiatiques.

sauce hoisin

Sauce chinoise épaisse, au goût sucré, composée de haricots de soja fermentés, de sucre, de sel et de riz rouge. On l'utilise pour tremper les aliments avant de les déguster et pour napper certaines préparations. En vente dans les épiceries asiatiques et certains supermarchés.

tahini

Pâte lisse et épaisse faite à partir de graines de sésame légèrement grillées, puis écrasées. En vente en bocal dans les épiceries asiatiques.

wasabi

Racine verte et noueuse d'une plante japonaise connue sous le nom de *wasabia japonica*. Le wasabi a le même aspect et la même odeur que le panais. On l'utilise dans le sushi et le sashimi. En vente sous forme de poudre et de pâte dans les épiceries asiatiques.

table des équivalences

1 tasse d'amandes entières = 155 g
1 tasse de jeunes feuilles d'épinards = 60 g
1 tasse de feuilles de basilic = 50 g
1 tasse de baies mélangées et hachées = 220 g
1 tasse de parmesan râpé = 100 g
1 tasse de crème de noix de coco = 250 g
1 tasse de noix de coco déshydratée = 90 g
1 tasse de feuilles de coriandre entières = 30 g
1 tasse de couscous = 185 g
1 tasse de farine ordinaire avec (ou sans) levure incorporée = 125 g
1 tasse de farine complète = 150 g
1 tasse de miel = 350 g
1 tasse d'olives vertes moyennes avec ou sans noyau = 175 g
1 tasse de persil plat entier = 20 g
1 tasse de polenta = 150 g
1 tasse de framboises entières = 125 g
1 tasse de riz arborio cru = 220 g
1 tasse de roquette grossièrement hachée = 45 g
1 tasse de crème fraîche = 250 g
1 tasse de sucre semoule = 250 g
1 tasse de sucre roux = 220 g
1 tasse de yaourt nature au lait entier = 250 g

index

199